Cymwynaswyr
MADAGASCAR
1818–1920

Cymwynaswyr
Madagascar
1818–1920

Cyfraniad Cymru i'r dystiolaeth Gristnogol
ym Madagascar

Noel Gibbard

GWASG BRYNTIRION

ISBN 1 85049 156 9

Cynlluniwyd y clawr gan:
Rhiain M. Davies (Cain)

Lluniau'r clawr:
Capel Neuadd-lwyd, ger Aberaeron,
gyda llun o dirwedd nodweddiadol
llwyfandir canol Madagascar.
Trwy garedigrwydd Colin Molyneux
(Africa Inland Mission International)

Cyhoeddwyd gan Wasg Bryntirion
Bryntirion, Pen-y-bont ar Ogwr CF31 4DX
Argraffwyd gan WBC, Pen-y-bont ar Ogwr

Cyflwynedig i

Eina fy mam, a Stella fy modryb

Cynnwys

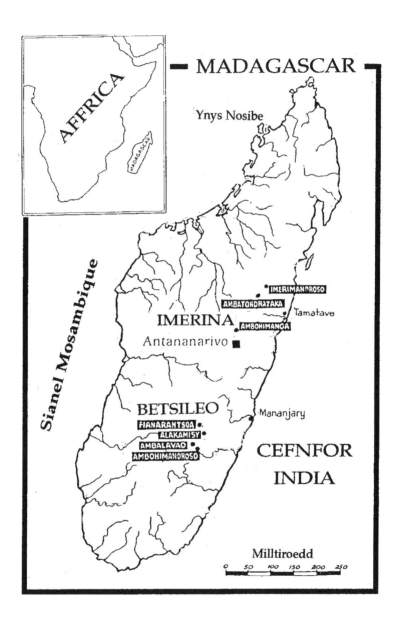

MADAGASCAR

Ynys Nosibe

AFFRICA

MADAGASCAR

Sianel Mosambique

IMERIMANDROSO

AMBATONDRAZAKA

Tamatave

IMERINA

AMBOHIMANGA

Antananarivo

BETSILEO

Mananjary

FIANARANTSOA

ALAKAMISY

AMBALAVAO

AMBOHIMANDROSO

CEFNFOR

INDIA

Milltiroedd

0   50   100   150   200   250

8

Rhagair

Mae swyn anghyffredin mewn enwau fel Tamatave, Antananarivo ac Imerimandroso. Cofiaf amdanynt ar wefusau'r bobl yng Nghynadleddau Cenhadol y Barri, ac ychydig yn ddiweddarach cofiaf Miss Gwyneth Evans yn dod i'r Bynea, Llanelli, i sôn am ei gwaith yn Imerimandroso. Deffrowyd fy niddordeb yn Ynys Madagascar, a sylweddolais yn fuan bod dioddef, yn ogystal â swyn, ynghlwm wrth yr enwau.

Llethwyd y cwmni cyntaf a aeth allan o'r Neuadd-lwyd, Ceredigion, gan farwolaethau, a bu bron i David Jones â thorri ei galon. Bu pawen y Frenhines Ranavalona yn drwm ar y cenhadon o 1835 hyd 1861, a gwnaeth y Ffrancwyr eu gorau i rwystro gwaith yr eglwys ar ôl meddiannu'r Ynys yn 1896. Eto i gyd, cyflawnodd y Cymry, ac eraill, waith arwrol, a gwaith arhosol, gan fod y dystiolaeth Gristnogol yn dal yn fyw ym Madagascar.

Gellid dadlau bod manteision gan y Cymry, a hynny mewn dwy ffordd, o leiaf, sef eu cefndir gwledig, a'r ffaith eu bod yn Gymry. Paratowyd hwy yn gorfforol, yn ogystal â meddyliol, i wynebu amgylchiadau anodd. Fel Cymry roedd ganddynt gydymdeimlad â phobl oedd o dan fygythiad o'r tu allan. Uniaethodd y Cymry eu hunain â'r Malagasiaid, yn arbennig yn ystod y blynyddoedd cynnar.

Bwriad cyntaf y gyfrol yw cyflwyno gwybodaeth, oherwydd yr anwybodaeth ynglŷn â'r cefndir cenhadol yn gyffredinol yn ein gwlad. Esgeuluswyd ein cenhadon gan ein hawduron yng Nghymru, a gobeithio y bydd y gyfrol hon yn gyfraniad bychan i dynnu sylw at y rhai a gyfrannodd gymaint, nid yn unig i Fadagascar, ond i sawl gwlad arall hefyd. Hyderaf hefyd y bydd y gyfrol yn ysbrydoli a herio'r darllenwyr. Mae angen inni feddwl yn gyson am ein cenhadaeth, yn arbennig heddiw gyda'r pwyslais ar aml-grefyddau. A yw neges y Cymry ym Madagascar yn berthnasol inni heddiw?

Wrth baratoi'r llyfr, derbyniais garedigrwydd oddi ar law sawl un, yn cynnwys y Parch. Ioan Wyn Gruffydd, Abertawe, a staff y 'School of Oriental and African Studies', Llundain. Cefais ganiatâd yr Ysgol i gynnwys lluniau Thomas ac Ann Bevan. Carwn gydnabod yn ddiolchgar y cymorth a gefais gan weithwyr y Wasg ym Mryntirion. Bu Peter Hallam, Edmund Owen a Mair Jones yn fawr eu gofal a'u hamynedd.

Noel Gibbard
Caerdydd
Mawrth 1999

1
Y Llef o Fadagascar

Gwelais fy hun, yng ngweledigaethau'r nos, yn pregethu
ymhlith y Paganiaid gyda hyfrydwch neilltuol. Gweled eu
heilunaddoliaeth a'u coel grefydd a effeithiodd gymaint ar
fy meddwl fel na allaswn dreulio nos na dydd heb
ystyried, gyda galar, eu sefyllfa druenus.
David Jones

Rhyddid oedd un o eiriau mawr y ddeunawfed ganrif.
Dyma oedd neges yr athronydd gwrth-Gristnogol, y dyngarwr crefyddol a'r pregethwr efengylaidd fel ei gilydd. I athronwyr Ffrainc, chwyldro oedd y ffordd i sicrhau rhyddid, cyfiawnder a chydraddoldeb, a rhoddwyd mynegiant o hyn yn Chwyldro 1789. I'r dyngarwr, amarch ar ddyn oedd caethwasanaeth a rhaid gweithredu'n gyfansoddiadol i'w ddileu. Medrai'r mater hwn fod yn 'bont' hefyd rhwng y dyngarwr a'r pregethwr efengylaidd, fel y dywed R. Tudur Jones.[1] Hawliai'r pregethwr mai'r neges Gristnogol yn unig a fedrai ddwyn dynion i ryddid cyflawn, a chafodd hwb i ledu ei genhadaeth gan ddarganfyddiadau James Cook a'r grymusterau ysbrydol a ffrwydrodd yn y Diwygiad Efengylaidd.

Sylweddolodd yr eglwysi fod angen cyfryngau cenhadol er mwyn dwyn y newyddion da i bedwar ban byd. Un cwmni a welodd yr angen oedd y gweinidogion Bedyddiedig yn swydd Northampton, yn cynnwys Andrew Fuller (1754–1815), a William Carey (1761–1834). Yn 1792 ffurfiwyd Cymdeithas Genhadol y Bedyddwyr Neilltuol, a hwyliodd William Carey i'r India yn 1793.[2]

Gŵr a adwaenai William Carey oedd George Burder

11

(1752–1832), yr Annibynnwr yn swydd Warwick, a'i sêl efengylaidd yn hysbys drwy ganoldir Lloegr. Pan sgrifennodd William Carey at John Ryland, un o gwmni Northampton, ond a symudodd i Fryste yn 1793, dangosodd Ryland y llythyr i David Bogue, Gosport (1750–1825), a oedd yn pregethu yn y ddinas ar y pryd. Gwnaeth y ddau weinidog, George Burder a David Bogue, ynghyd ag Edward Williams (1750–1813), y Cymro o Ddyffryn Clwyd, ddefnydd o'r *Evangelical Magazine,* gyda chymorth brwd y golygydd, John Eyre (1754–1803), i hyrwyddo'r diddordeb yn y genhadaeth dros y môr. Bu gohebu a thrafod cyson am fisoedd lawer, ond nid yn ofer, oherwydd erbyn 1795 gorffennwyd pob peth angenrheidiol i sefydlu'r Gymdeithas Genhadol.

Y wawr yn torri

Ffurfiwyd y Gymdeithas Genhadol hon nos Lun, 21 Medi 1795, yn y 'Castle and Falcon' yn Llundain, a daeth i'w hadnabod fel Cymdeithas Genhadol Llundain (yr LMS). Trannoeth, cadarnhawyd y trefniadau mewn cyfarfod yng nghapel Spa Fields. Cododd y gynulleidfa gref ar ei thraed i ganu emyn Pantycelyn:[3]

> *O'er the gloomy hills of darkness*
> *Look, my soul; be still, and gaze;*
> *All the promises do travail*
> *With a glorious day of grace:*
> *Blessèd jubilee!*
> *Let thy glorious morning dawn.*

Sylweddolwyd breuddwyd y Pêr Ganiedydd. Roedd y bore hyfryd ar wawrio, pan fyddai rhai o bob llwyth, iaith a chenedl yn dod i ganmol yr Oen. Dyma optimistiaeth Gristnogol y Cymro, a Jonathan Edwards yn America, gŵr a ddylanwadodd ar Bantycelyn, ac ar y cwmni o Fedyddwyr yn swydd Northampton. Bu ei waith, *An Humble Attempt to Promote . . . Extraordinary Prayer,* yn ysbardun i'r cyffro cenhadol ar ddiwedd y ddeunawfed ganrif.

Mynegiant o'r cyffro heintus hwn yw testunau'r pregethau yn ystod yr wythnos o gyfarfodydd yn y mis Medi nodedig hwnnw: Thomas Haweis yn pregethu ar 'Ewch i'r holl fyd a phregethwch yr efengyl'; George Burder ar neges Llyfr Jona; Samuel Greathead ar 'Pwy yw fy nghymydog?'; a David Bogue, ar sail Haggai 1:2, yn annog ymosod ar y gelyn, a delio'n effeithiol â'r gwrthwynebiadau i'r gweithgarwch cenhadol, yn cynnwys y syniadau, 'mae digon o waith gartref', 'bydd hi'n ormod o gost' ac 'ni ddaeth amser Duw eto'.

Ni fu Cymru'n hir cyn bod yn gyfrannog o'r brwdfrydedd. Anfonwyd casgliadau o Gymru i Lundain yn ystod 1796; ymwelodd Thomas Charles o'r Bala (1755–1814), â llong y *Duff* pan ddychwelodd o'i mordaith gyntaf i Ynysoedd Môr y De, a thynnodd sylw at angen Madagascar.[4] Etholwyd ef a David Jones, Llan-gan (1736–1810), yn gyfarwyddwyr y Gymdeithas yn 1797, ac yn 1800 gadawodd John Davies (1772–1855), un o ysgolfeistri Thomas Charles, am Ynysoedd Môr y De. Wrth enwi'r dynion hyn, mae'n amlwg mai cydenwadol oedd y Gymdeithas, a dyma fu cyfrwng cenhadu tramor y Method-istiaid Calfinaidd hyd 1840.

Cytunodd yr Annibynwyr yng Nghymru i gyhoeddi hanes y Gymdeithas Genhadol yn y Gymraeg. Yn ystod y Gymanfa yn Saron, Sir Gaerfyrddin, 6-7 Mehefin 1798, cytunwyd i Morgan Jones, Tre-lech (1768–1835), fod yn gyfrifol am y gwaith. Cafodd gyfle i gyflwyno argyhoeddiadau'r Gym-deithas i'w gyd-Gymry. Eglurodd iddynt sut 'y gwasgodd ar feddyliau amryw Weinidogion efengylaidd yn Lloegr, nad oedd yn ddigonol i weddïo am i'r Arglwydd ddanfon yr efengyl lle nad oedd, heb arfer moddion i hynny'.[5] Gwir bod Duw, fel penarglwydd, yn sicr o gyflawni ei holl fwriadau ar gyfer y byd, ond y mae'n benarglwydd hefyd ar y moddion i'w cyflawni. Ordeiniodd bregethwyr y gair i ddwyn dynion i ffydd. Cyflwynodd Morgan Jones y gyfrol:[6]

Fel y byddai i'r Cymry weddïo am lwyddiant y rhain [y cen-hadon]

Fel y byddai i'r Cymry daflu eu hatling at gynorthwyo'r
gwaith mawr
Fel y byddai i'r duwiol lawenhau a gorfoleddu fod Enw'r
Iesu yn myned yn fawr ac yn debyg o fyned yn fwy, ac
I gywilyddio gelynion crefydd Crist.
Dyma gyfrwng allweddol i hyrwyddo'r dystiolaeth genhadol.

Thomas Phillips, Neuadd-lwyd

Un ymhlith clwstwr o efengylwyr Calfinaidd oedd Morgan
Jones, a'r rhai mwyaf amlwg oedd Benjamin Evans, Dre-wen
(1740–1821), David Davies, Saron, Llangeler (1763-1816), a
Thomas Phillips, Neuadd-lwyd (1772–1842). Roedd Thomas
Phillips ychydig yn iau na'r lleill, a phan oedd yn ddeng
mlwydd oed bu'n dyst i dderbyniad David Davies i'r eglwys
ym Mhencader. Anesmwythwyd cydwybod y bachgen ifanc yn
yr oedfa hon, ond aeth wyth mlynedd heibio cyn iddo ymuno
â'r eglwys yno. Cafodd beth addysg eisoes yn ysgol enwog
Dafydd Dafis, Castellhywel (1745–1827), ond er mwyn paratoi
ar gyfer gweinidogaeth y Gair aeth i Goleg Caerfyrddin, a oedd
o dan ofal David Peter (1765–1837), un arall o'r gweinidogion
cenhadol eu hysbryd.[7]

Derbyniodd Thomas Phillips alwad i eglwys yr Anni-
bynwyr, Neuadd-lwyd, ger Aberaeron, yn 1796, yr eglwys y bu
David Davies yn bwrw golwg drosti pan oedd yn weinidog
Saron, Llangeler, ond yr oedd yntau erbyn hyn yn Abertawe.
Torchodd Thomas Phillips ei lewys i gyflawni gwaith y weini-
dogaeth. Parhaodd yn fyfyriwr dyfal. Hoffai astudio *Synopsis
Criticorum* Poole, Groeg, Hebraeg a diwinyddiaeth, ond both y
cwbl oedd yr Ysgrythur. Cartrefai yn ffermdy Pen-y-banc, a
oedd yn ganolfan i bregethwyr ar eu teithiau, a lle y medrent
gadw oedfa hefyd. Nid oedd yn bregethwr huawdl, ysgubol,
ond yr oedd ei neges fel 'gwlithlaw trwy dywyniad haul canol
haf'.[8] Cerddodd dylanwad Thomas Phillips drwy Sir Gered-
igion, a ganwyd plant i'r fam eglwys o Dal-y-bont i Ddihewyd.

Nid esgeulusodd yr ochr addysgol chwaith: cadwai ysgol, a

sgrifennodd yn helaeth i hyfforddi pobl yn y ffydd Gristnogol. Ymhlith ei weithiau y mae argraffiad Cymraeg o *Gatecism Westminster* ac *Esboniad Byr ar y Testament Newydd*. Gwelodd y tu hwnt i Geredigion a chreodd ddiddordeb yn ei bobl yn y gwaith cenhadol dros y môr. Agos iawn at ei galon oedd hanes David Brainerd a'i waith ymhlith yr Indiaid. Capel y Neuadd-lwyd oedd man magwrfa David Jones a Thomas Bevan, a Thomas Phillips oedd eu tad ysbrydol.

David Jones

Ganed David Jones yn 1797, a'i fagu mewn cartref crefyddol.[9] Roedd y tad yn un o swyddogion capel Neuadd-lwyd, a gwnaeth yn siwr fod y teulu'n cael eu trwytho yn yr Ysgrythur. Ar nos Sul darllenai rannau o'r Beibl iddynt a gwneud sylwadau byr. Yma hefyd, yn y cartref, y dysgodd David Jones ddarllen. Dwysawyd ei ysbryd crefyddol gan ddau ddigwyddiad a'i gorfododd i feddwl am farwolaeth a Dydd Barn. Syrthiodd oddi ar gefn ceffyl a'i niweidio'i hun, a bu'n wael am dri mis. Oherwydd y fath brofiadau ceisiodd Dduw yn fwy dyfal nag erioed, gan weld ei angen am Grist fel Gwaredwr.

Nid dyma unig ffrwyth ei brofiadau argyfyngus. Argyhoeddwyd ef y dylai geisio am aelodaeth eglwysig, a theimlodd awydd dwfn am bregethu'r efengyl. Ar ôl cryn ystyriaeth cymerodd y ddau gam. Ar nos Sul cymundeb roedd yn llofft y capel yn dyst i berthynas iddo'n dod yn aelod eglwysig. Teimlodd gywilydd oherwydd ei fod ef o hyd ymhlith 'gelynion i Dduw a deiliaid teyrnas Satan'.[10] Yn deimladwy iawn dywed ef ei hun, 'Hyn a ddarfu gael mwy o effaith ar fy meddwl na'r pethau blaenorol, fel yr oeddwn yn wylo, ac mor anesmwyth yn fy meddwl, fel y darfu beri i mi ymddiddan a fy mam ynghylch fy nghyflwr.' Aeth y bachgen gyda'i fam i oedfa yn Neuadd-lwyd, yn llwyr fwriadu aros ar ôl yn y gyfeillach, ond llithrodd allan ac aros wrth y drws. Daeth ei fam ar ei ôl a'i gynghori i ddychwelyd i'r gyfeillach. 'Mi gyd-unais â'i dymuniad, ac mi euthum i mewn i uno â phobl Dduw, yn eu melys gyfeillach, yn mwynhau cymdeithas â'r Tad, y Mab a'r Ysbryd Glân'.[11] Aeddfedodd ei brofiad yn gyflym. Yn wir, ar brydiau, profai lawenydd anrhaethadwy o sylweddoli bod Duw wedi ei garu, a bod Iesu Grist wedi marw drosto ar y groes.

Un o ddymuniadau dwfn David Jones oedd cael mwy o addysg, a lle gwell i gael hwnnw nag yn ysgol ei weinidog, Thomas Phillips. Dyna oedd argyhoeddiad Thomas Bevan hefyd, a arweiniwyd ar hyd llwybr digon tebyg i'r un a gerddodd David Jones. Yn yr ysgol hon newidiwyd cwrs bywyd y ddau ohonynt.

Thomas Bevan

Fel David Jones, cartref crefyddol a gafodd Thomas Bevan, a anwyd yn 1796. Ar hyd ei fywyd cofiai am ei fam yn dweud wrtho am fyrder bywyd, a bod nefoedd i gredinwyr a gwae tragwyddol i anghredinwyr. Meithrinwyd ef i weddïo, ond ni ddysgodd ddarllen nes ei fod yn wyth mlwydd oed. Pan symudodd yn agosach i Neuadd-lwyd dechreuodd fynychu'r ysgol Sul, gwrando'n fwy astud ar bregethu Thomas Phillips a dysgu catecismau, ac mae'n siwr bod *Catecism Westminster* yn un o'r rhai hynny. Un o bregethau Thomas Phillips oedd y wŷs oddi uchod ym mywyd Thomas Bevan, sef pregeth ar 1 Pedr 2:7-8. Teimlai fod Duw'n siarad yn uniongyrchol ag ef, 'Yn ei waith yn darlunio gwerthfawrogrwydd Crist i gredinwyr, yr oedd ef yn ymddangos mor neilltuol werthfawr i mi, nes yr oeddwn yn hiraethu ac yn wylo am gael rhan ynddo, a byw er ei glod weddill fy nyddiau.'[12]

Cafodd Thomas Bevan sicrwydd o'i ran yng Nghrist, a phenderfynodd ymuno â'r gymdeithas yng nghapel Neuaddlwyd. Pan oedd wrth fwrdd y cymun teimlai'n union fel David Jones, gan brofi llawenydd o wybod fod cariad Crist, trwy farw'r groes, wedi agor ffordd iachawdwriaeth iddo. Fel David Jones hefyd, roedd awydd yng nghalon Thomas Bevan am bregethu'r efengyl i eraill. Ar anogaeth yr eglwys ymunodd â David Jones yn ysgol y gweinidog.[13]

Ysgol baratoawl oedd yng ngofal Thomas Phillips, hynny yw, lle i baratoi myfyrwyr oedd eisiau hyfforddiant cyn mynd i goleg, a myfyrwyr oedd heb gyfleusterau i fynd i goleg o gwbl. Yn ôl y cyhoeddiad, lle ydoedd 'y gellir addysgu dynion ieuainc, dan Athraw cymwys, am yr ysbaid o ddwy flynedd, mewn Gramadeg Saesneg, mewn Seinyddiaeth a dull o lefaru priodol, mewn Ysgrifennu a Rhifyddiaeth, mewn Hanesiaeth Eglwysig, mewn Rhesymeg a throsglwyddiad i'r Clasuron; ac ar ddiwedd y cyfnod hwnw, gall rhai fyddant wedi myned ymlaen yn dda gael dyrchafiad i Athrofa gyhoeddus er mwyn graddau uwch o Lenyddiaeth.'[14] Athro cyntaf yr ysgol, pan agorwyd hi yn 1810, oedd John Maurice (1787–1811), mab Philip Maurice, gweinidog Tynygwndwn, ond mynnodd gael Thomas Phillips gydag ef i ofalu am y pregethwyr anaeddfed. Bu John Maurice farw o fewn blwyddyn ar ôl agor yr ysgol, a syrthiodd y baich i gyd ar ysgwyddau gweinidog Neuadd-lwyd.

Adeilad o furiau pridd, to gwellt, gyda dwy ystafell oedd ysgol Neuadd-lwyd. Moel oedd y dodrefnu, a dim ond ychydig iawn o lyfrau pwrpasol ar gyfer y cwrs oedd wrth law. Un wedd bwysig oedd dysgu darllen yn gywir, yn y Gymraeg a'r Saesneg, oherwydd credai Thomas Phillips fod darllen yr Ysgrythur yn gyhoeddus o'r pwys mwyaf. Neilltuai un diwrnod i ddarllen Cymraeg yn unig, ac un diwrnod i ddysgu Saesneg yn unig, pryd y defnyddid y *Carmarthen Journal* fel gwerslyfr. Ar y diwrnod a neilltuwyd i'r Saesneg byddai'r monitor yn cadw llygad barcud er mwyn gwneud yn siwr nad oedd neb yn siarad Cymraeg. Y dirwy am wneud hynny, neu am gadw twrw, oedd ceiniog, swm a oedd ar y cychwyn yn help i brynu llyfrau, ond a aeth yn ddiweddarach yn arian i brynu tybaco i'r athro.

Y freuddwyd

Ar ôl bod yn yr ysgol am ddwy flynedd dechreuodd David Jones bregethu, ac yntau'n un ar bymtheg mlwydd oed. Cafodd

17

gyfle i wasanaethu eglwysi'r cylch, a hefyd fynd ar daith i Ogledd Cymru. Dychwelodd o'r Gogledd ddiwedd Medi 1814, a chafodd freuddwyd a fu'n gyfeiriad i'w fywyd, 'Gwelais fy hun, yng ngweledigaethau'r nos, yn pregethu ymhlith y Paganiaid gyda hyfrydwch neilltuol.'[15] Bu hyn yn boen enaid iddo hefyd, oherwydd sylweddolodd y byddai torfeydd yn 'ymddangos yn y farn, yn noeth ac yn euog'.[16] Dechreuodd weddïo drostynt, a daeth ar draws geiriau Paul yn Rhufeiniaid 10:13-16. Gwelodd yn glir fod ffydd trwy bregethu'r Gair, ond sut oedd credu os nad oedd pregethwr ar gael? Teimlodd alwad i fynd at y 'paganiaid', a dywedodd yn dawel yn ei galon, 'Wele fi, anfon fi'.[17]

Cadarnhawyd y cam hwn gan amryw o ysgrythurau, yn arbennig 2 Corinthiaid 11:23-7 sy'n sôn am ddioddefiadau Paul er mwyn yr efengyl, a Rhufeiniaid 8:18 sy'n cymharu diodd-efiadau'r ddaear a gogoniant y nefoedd. Pleser digymysg iddo oedd darllen hanes David Brainerd, a chreodd hyn awydd dwfn yn ei galon am fynd i wlad dramor. Aeth i gyfarfod blyn-yddol cyntaf y Gymdeithas Genhadol yng Nghymru yng Nghaerfyrddin yn 1815, a bu hyn yn her bellach iddo ym-rwymo i'r gwaith cenhadol oddi cartref.

Mae'n amlwg, felly, nad 'breuddwyd Thomas Phillips' a symbylodd David Jones i fynd oddi cartref. Rhyfedd, fel yn hanes Mari Jones a'i Beibl, y mae traddodiad yn marw'n araf. Hyd yn gymharol ddiweddar derbyniwyd fel ffaith nad oedd Beibl gan Thomas Charles i'w roi i'r ferch ifanc. Erbyn hyn profwyd bod tri Beibl gan y cymwynaswr mawr yn y Bala. Arferid meddwl mai Thomas Phillips a freuddwydiodd am Fadagascar, a herio'r myfyrwyr yn y dosbarth i fynd yno fel cenhadon. Yn ôl yr hanes cododd David Jones ar ei draed i'w gyflwyno'i hunan i'r gwaith a'i ddilyn yn syth gan Thomas Bevan. Ond nid yw David Jones yn sôn dim am hyn, ddim hyd yn oed ar ddydd ei ordeinio, pan holwyd ef am y dylanwadau ar ei fywyd a'r hyn a'i harweiniodd i'r maes cenhadol. Dim ond ar ôl misoedd o fyfyrio a gweddïo y daeth David Jones i'r penderfyniad i fynd i Fadagascar. Ychydig wedi hynny daeth Thomas Bevan i'r un argyhoeddiad. Yr unig gyfeiriad at freuddwyd yw'r un a gafodd David Jones ar ôl dychwelyd o'i daith bregethu yn y Gogledd.[18]

Mynd i Gosport

Y cam nesaf oedd gwneud cais i'r Gymdeithas Genhadol, a gwnaethpwyd hynny gan David Jones a'i weinidog, Thomas Phillips. Yn ei lythyr at y cyfarwyddwyr cyflwynodd y gweinidog yr ymgeisydd fel un a dderbyniwyd yn aelod eglwysig ym mis Gorffennaf 1808, a astudiodd Rifyddeg, Lladin, Groeg ac ychydig Hebraeg yn yr ysgol yn Neuaddlwyd. Un o nodweddion amlwg y gŵr ifanc oedd ei dduwioldeb diamheuol. Cefnogwyd y cais gan dri ar ddeg o weinidogion. Cynghorodd y cyfarwyddwyr ef i fynd at David Bogue yn Gosport, swydd Hampshire, am hyfforddiant pellach.[19]

I Gosport yr arweiniwyd Thomas Bevan hefyd. Tra yn yr ysgol yn Neuadd-lwyd cadarnhawyd ei awydd i bregethu'r efengyl, a gwneud hynny mewn gwlad dramor. Neilltuwyd John Evans, Meidrim, Sir Gaerfyrddin, i fynd i Lattakoo, De Affrica, yn 1814, a gadawodd David Jones am Gosport, dau ddigwyddiad a effeithiodd yn fawr ar y myfyriwr ifanc. Fel yn hanes David Jones bu'r Ysgrythur a darllen llyfrau yn gyfarwyddyd pellach iddo. Cyfeiria at Marc 8:34, 2 Timotheus 2:12 a Mathew 19:28-9. Cymhellwyd ef gan ei weinidog i ddarllen hanes David Brainerd, ac fel yn hanes David Jones, bu'r llyfr hwn yn ddylanwad pendant ar Thomas Bevan. 'Wrth ei ddarllen, yr oedd fy meddwl yn cael ei ennyn o gariad at eneidiau y Paganiaid tlodion sydd yn aros yn y tywyllwch.'[20] Cymeradwywyd ef i'r gwaith gan Thomas Phillips, a gan y gweinidogion mewn Cymanfa yn Nhal-y-bont, Ceredigion.[21]

Cafodd y ddau Gymro, felly, fod yn Gosport am gyfnod, yr un pryd, a chael y fraint o fod o dan ofal David Bogue, gŵr y mae Cymru'n ddyledus iawn iddo. Ato ef yr aeth cenhadon y Gymdeithas Genhadol o 1810 hyd 1825, a mawr oedd

diddordeb yr athro yng Nghymru. Ymwelodd â'r cyfarfod cen-
hadol yn Llanfyllin yn 1818, a mentro awgrymu mai yng
Nghymru, efallai, y byddai gwawr y mil blynyddoedd.[22] Dyma
fynegiant o'r optimistiaeth Gristnogol eto, ac o ddiddordeb
David Bogue, ac eraill yn yr un cyfnod, mewn eschatoleg.
Paratoi'r ffordd i fendith helaethach yr oedd y gweithgarwch
cenhadol, cyn ailddyfodiad Iesu Grist. Aeth David Bogue ar
daith hefyd gyda Thomas Charles, y Bala, i'r Iwerddon, a'r
ddau yn awyddus i weld llwyddiant yr efengyl yn y wlad
honno, yn ogystal â Madagascar ac Ynysoedd Môr y De.[23]

Festri capel yr Annibynwyr, Gosport, oedd cartref yr acad-
emi, nid y lle delfrydol efallai, ond mae'n syndod meddwl am
yr hyn a gyflawnwyd yno, a beth bynnag, roedd yn well lle na'r
bwthyn yn Neuadd-lwyd. Digon prin oedd y dodrefn yn y
festri, dim ond cadair a bwrdd i'r athro a meinciau i'r myfyr-
wyr. Nid oedd llyfrgell yno ar y cychwyn, ond medrai'r myfyr-
wyr ddefnyddio llyfrgell helaeth yr athro. Cryfder y maes
llafur oedd y cwrs athrawiaethol a'r pwyslais a roddwyd ar y
dystiolaeth genhadol. Lletya yng nghartrefi'r cylch a wnâi'r
myfyrwyr, ond gwnaeth David Bogue yn siwr bod yno gwrdd
gweddi cyson i'w dwyn at ei gilydd, ac un bore o weddi cyn
dechrau pob tymor. Yn ei frwdfrydedd cenhadol anfonai'r
athro'r myfyrwyr allan, nid yn unig i'r capeli yn y cylch, ond
hefyd i'r ardaloedd lle y gellid cyflawni gwaith arloesol a
chychwyn achosion newydd.[24]

Nodi cryfder y dysgu athrawiaethol a wnaeth adroddiad y
flwyddyn 1816–17, ond mynegi gofid hefyd oherwydd y diffyg
llawlyfrau i ddysgu ieithoedd. Roedd y sylwadau ar yr un
myfyriwr ar hugain, ar y cyfan, yn ddigon caredig, yn cynnwys
David Jones a Thomas Bevan:[25]

Mr David Jones 20. Considerable prog. in languages. The
deputation was upon the whole pleased with his spirit &
deportment in reference to the subject on which he had
received reproof.

Ni ddywedir beth oedd achos y cerydd, ond tybed ai mater priodi oedd y broblem? Yn ôl rheolau'r Gymdeithas Genhadol ni ddylai myfyriwr wneud unrhyw drefniadau heb ganiatâd y cyfarwyddwyr. A oedd David Jones wedi anufuddhau? Priodi a wnaeth beth bynnag, â Louisa Derby, aelod yng nghapel yr Annibynwyr, Gosport.

Cyfeiriwyd at Thomas Bevan hefyd:[26]

> Mr Thomas Bevan 22. Some proficiency in the language. Very good talents—might still go to Madagascar—Would be glad that his ordination in Wales should be in the summer.

Agorwyd y ffordd iddo fynd i Fadagascar, a chyn gadael gwnaeth yn siwr o gwmni, a phriodi Mary Jones, Pen-yr-allt Wen, Neuadd-lwyd, cyd-aelod yn yr eglwys yno.

Neilltuo i'r gwaith

Trefnwyd cyfarfodydd neilltuo'r ddau fyfyriwr yn y fam eglwys 20-21 Awst 1817, a hynny yng ngwydd cynulleidfa o filoedd. Oedfa bregethu oedd ar y nos Fercher, a bu'r cwrdd ordeinio am naw o'r gloch fore Iau. Ebenezer Richard, Tregaron (1781–1837), gweinidog amlwg ymhlith y Methodistiaid, a arweiniodd mewn gweddi, Thomas Phillips a ofynnodd y cwestiynau perthnasol, a phregethwyd gan Morgan Jones, Trelech, ar Josua 13:1. Holwyd y ddau ymgeisydd ynglŷn â'u profiadau, y dylanwadau a fu arnynt i ystyried y gwaith cenhadol, y modd yr oeddynt am ei gyflawni ym Madagascar, a'u credo.

Soniwyd eisoes am y ddwy wedd, sef y profiadau a'r dylanwadau, ond mae'n rhaid edrych ar y ddwy wedd arall. Pan ofynnwyd y cwestiwn, 'Pa fodd yr ydych yn meddwl dwyn eich gwaith ymlaen ymhlith y Paganiaid?', David Jones a atebodd a Thomas Bevan yn arwyddo ei gydsyniad. Bwriad David Jones oedd gweddïo Duw am lwyddiant yr efengyl a chwilio'r Ysgrythurau'n fanwl fel na byddai'n camarwain neb ynglŷn â ffordd iachawdwriaeth. Yn y Gair ysgrifenedig yr oedd meddwl yr Ysbryd Glân wedi ei drysori. Anghenraid oedd dysgu iaith y bobl oherwydd dyma'r ffordd i gyfathrebu â'r brodorion trwy siarad a phregethu. Gwaith arall a oedd yn bosibl ar ôl meistroli'r iaith oedd cyfieithu'r Beibl, oherwydd hyn fyddai sylfaen pob gweithgarwch ym Madagascar. Cymorth pellach i ddysgu oedd yr ysgol ddyddiol, a bwriad David Jones oedd sefydlu nifer o ysgolion a pharatoi llyfrau syml ar gyfer y disgyblion. Gan fod ei gynhaliaeth ariannol yn dod o Lundain ac o'r eglwysi, addunedodd fyw'n syml. Roedd yn ymwybodol iawn na fyddai gweinidogion eraill wrth law i estyn cymorth, ond rheswm oedd hyn i bwyso'n drymach nag erioed o'r blaen ar ei Waredwr.[27]

Y cwestiwn arall oedd hwn, 'Beth ydyw yr athrawiaethau ydych yn gredu, ac yn bwriadu eu pregethu i'r Paganiaid?'[28] Y tro hwn Thomas Bevan a atebodd a David Jones yn arwyddo ei gydsyniad:[29]

Yr wyf yn credu nad oes ond un gwir a bywiol Dduw, a bod y Duw hwn yn hanfodi mewn tri pherson—y Tad, y Mab, a'r Ysbryd Glân; ac mai efe yw Creawdwr, Cynhaliwr, a Llywodraethwr y byd; a'i fod yn gwneuthur pob peth mewn amser, yn ôl ei arfaeth dragwyddol.

Yr wyf yn credu i Dduw greu dyn, ar y cyntaf, ar ei ddelw ei hun, mewn gwybodaeth, cyfiawnder, a gwir santeiddrwydd; ac iddo wneuthur cyfammod ag ef yn y cyflwr hwnw, nid yn unig drosto ei hun, ond hefyd dros ei holl hiliogaeth.

Yr wyf yn credu i Adda, trwy droseddu gorchymmyn Duw, syrthio o'r cyflwr y crewyd ef ynddo, i gyflwr o bechod a thruenu; ac fel yr oedd efe yn cynnrychioli ei holl had, hwynt-hwy, trwy rinwedd yr undeb oedd rhyngddynt ag ef, fel pen y cyfammod, a syrthiasant i'r un cyflwr.

Yr wyf yn credu i Dduw, fel un ag oedd yn rhag-weled y byddai i Adda syrthio, o'i dragwyddol gariad a'i drugaredd, rag-fwriadu dwyn tyrfa na all neb ei rhifo, allan o bob cenedl, llwyth, iaith, a phobl, i gyflwr o iechydwriaeth trwy Waredwr; ac i Grist i'r dyben o fod yn Waredwr addas i ni, yn nghyflawnder yr amser, yn ôl yr arfaethiad tragwyddol, gymmeryd ein natur ni i undeb â'i natur ddwyfol; ac er ei fod yn feddiannol ar ddwy natur, etto nad yw ond un person, ac felly y parâ i dragwyddoldeb.

Yr wyf yn credu i Grist, trwy ei ufudd-dod a'i ddyoddefiadau, ddwyn i mewn gyfiawnder tragwyddol; ac mai yn ei gyfiawnder ef yn unig y mae pechadur yn cael derbyniad gyda Duw.

Yr wyf yn credu fod yr Ysbryd Glân, yn amser Duw, yn cael ei anfon yn ôl y cynghor a fu yn nhragwyddoldeb, i gymhwyso yr hyn a wnaeth ac a ddyoddefodd Crist, at y rhai a fyddant gadwedig, a'i fod trwy ei ddylanwadau nefol, yn eu nerthu i bara mewn cyflwr o ras hyd y diwedd.

Yr wyf yn credu fod y gyfraith foesol yn rheol i dduwiolion fyw wrthi tra y byddont byw, ac y parâ i fod felly byth.

Yr wyf yn credu fod eglwys Dduw yn y byd hwn yn gynnulleidfaol; yn gynnwysedig o Gristionogion, y rhai sydd yn cyfarfod yn yr un lle: a bod ganddi awdurdod ynddi ei hun i drefnu ei materion, heb ymddybenu ar un eglwys arall yn y byd.

Yr wyf yn credu i Grist osod dwy ordinhad yn ei eglwys filwriaethus, sef bedydd, yr hwn sydd i gael ei weinyddu i gredinwyr a babanod, trwy daenellu dwfr, yn enw y Tad, a'r Mab, a'r Ysbryd Glân; a swpper yr Arglwydd, yr hon sydd i gael ei derbyn gan ei bobl broffesedig, trwy gymmeryd bara a gwin, yn gyhoeddus yn ei dŷ, er cof amdano, hyd nes delo yr ail waith.

Yr wyf yn credu fod eneidiau y duwiolion, pan y byddant yn ymadael a'r corff, yn myned yn union i ogoniant; ond fod eneidiau yr annuwiolion yn myned i drueni tragwyddol.

Yr wyf yn credu yr ymddengys Crist etto yr ail waith heb bechod, yn y dydd diwethaf, ac y bydd i'r meirw fychain a mawrion gael eu hadgyfodi, a'u dwyn ger ei fron ef i gael eu sefydlu yn eu tragwyddol artref; ac y bydd i bawb nad adwaenant Dduw, ac nid ydynt yn ufuddhau i efengyl ein Harglwydd Iesu Grist, gael eu danfon ymaith gyda y gair 'Ewch oddiwrthyf', i warth a dirmyg tragwyddol; ond y bydd yr holl ail-enedigion gael ei gwahodd i etifeddu y deyrnas a baratowyd iddynt er seiliad y byd.

Ar ôl yr holi, gweddïodd Philip Maurice, Ebenezer; traddododd Thomas Phillips neges seiliedig ar Galatiaid 1:15-16; a gorffennwyd trwy weddi gan John Roberts, Llanbryn-mair.

Paratôdd y ddau deulu i hwylio yn y *Swallow*, gan adael gyda wyneb y flwyddyn 1818. Ar wahân i ffarwelio â pherthnasau a ffrindiau, cyfansoddodd Thomas Bevan gân ymadawol, sy'n fynegiant o'i argyhoeddiad ef a'i gyfaill David Jones, yn arbennig y pennill hwn:[30]

Cefais olwg ar ei Berson, a gogoniant maith ei waith,
Nes rwy'n fodlon myned drosto dros yr eang foroedd maith,
I gyhoeddi fod i gaethion ryddid a maddeuant rhad
A derbyniad gyda Duwdod trwy rinweddau maith y gwaed.

Rhyddid oedd y neges ganolog, rhyddid trwy Grist a'i waith achubol. Yr un peth oedd ganddynt i'w ddweud wrth bobl Madagascar a phobl Cymru, sef, 'Cymoder chwi â Duw'. Rhaid, er hynny, ystyried y dull o wneud hynny, gan fod Madagascar yn dra gwahanol i Gymru.

2
Siom a Gobaith

*Mewn ychydig fisoedd llethwyd pob un ohonynt gan
afiechyd, a chipiwyd y fam a'i baban gan farwolaeth,
a gadael y tad [David Jones] mewn gwendid a galar . . .
daliwyd y Bevaniaid hwythau gan afiechyd, a'r tro hwn nid
arbedwyd un ohonynt. Felly, mewn llai na dau fis roedd
beddau i bum Cymro yn naear Madagascar.*

Darllenodd y cenhadon am Fadagascar cyn gadael Cymru,
a chawsant gyfle pellach i wybod mwy am yr Ynys yn
ystod y daith o bum mis i ynys fechan Mauritius. Dyna lle'r
angorwyd er mwyn aros am ychydig cyn croesi'r pedwar can
milltir o fôr i Fadagascar. Un person a roddodd groeso brwd i'r
ddau deulu oedd Le Brun, un o gyn-fyfyrwyr Gosport, a chen-
hadwr y Gymdeithas Genhadol yn y wlad honno.[1] Mae'n siwr
i'r tri chenhadwr sôn tipyn am Gosport, yn ogystal â chael
mwy o fanylion am Fadagascar, oherwydd yr oedd mynd a
dod cyson rhwng y ddwy ynys. Er mawr siom i'r Cymry nid
oedd Syr Robert Farquhar, cynrychiolydd Llywodraeth
Prydain, ym Mauritius ar y pryd, oherwydd galwyd ef yn ôl i
Lundain am ychydig. Roedd ganddo le cynnes yn ei galon i'r
fenter genhadol, ond nid felly y Cadfridog Hall, a gymeroddd
ei le dros dro.

Y wlad

Beth am Fadagascar felly? Pa fath wlad oedd hi? Yn nhyb y
trigolion dyma'r 'holl fyd', un ystyr posibl i enw'r Ynys, tyb a
oedd yn agwedd ar falchder y bobl. Iddynt hwy nid oedd un
wlad yn y byd yn cyfrif dim ar wahân i Fadagascar. Er yn fach

o ran maint o'i chymharu â chyfandir Affrica, rhyw ddau cant a hanner o filltiroedd i'r gorllewin iddi, eto i gyd roedd yn enfawr, o gofio ei bod bron deirgwaith yn fwy na gwledydd Prydain, a gellid gosod Cymru mewn cornel fach ar yr Ynys.[2]

Rhannwyd y wlad yn ddwy ar hugain o dywysogaethau, pob un â'i bennaeth, ond y cryfaf oedd Andrianampomimerina, a phan bu ef farw yn 1811, gwnaeth ei fab, Radama, barhau gwaith ei dad o uno amryw dywysogaethau. Ef oedd y pen yn Imerina, cartref yr Hova (yngenir Hwfa), y bobl gryfaf a mwyaf lluosog o'r pedair miliwn ar yr Ynys. Yn ieithyddol deallent ei gilydd yn iawn, er bod gwahanol dafodieithoedd i wahanol ardaloedd. Ystyrid Radama y pennaeth cryfaf yn y wlad, ac ym marn yr Hova, ac yn sicr ym marn Radama ei hun, ef oedd brenin Madagascar. Roedd rhai llwythau yn ei barchu, eraill yn ei ofni, ond yn yr ardaloedd mwyaf gwledig yr oedd gwrthwynebiad cryf iddo. Gwyddai Ffrainc a Phrydain am safle Radama. Heb ei gydnabod ef ni fyddai'n bosibl rhoi troed ar ddaear Madagascar. Ar ôl meddiannu Mauritius yn 1810, llwyddodd Prydain i ennill clust y brenin yn 1817, a sefydlu perthynas rhwng y ddwy wlad.

Amrywiaeth oedd un o nodweddion amlwg yr Ynys. Roedd yn llawn mynyddoedd, llynnoedd, afonydd, rhaeadrau a choedwigoedd. Llifai'r afonydd o'r mynyddoedd a dyfrhau'r tir, peth a oedd o bwys mawr gan mai prif fwyd y bobl oedd reis. Trefnwyd erwau eang o gaeau reis, ochr yn ochr, yn perthyn i wahanol berchnogion. Y dynion a fyddai'n gwneud y gwaith brwnt, sef paratoi ar gyfer hau'r had, trwy ddefnyddio'r bâl, y traed a'r ychen, y bâl i dorri'r tir, a'r traed a'r ychen i'w ddamsang ar ôl agor cwysi i'r dŵr lifo ar hyd-ddynt. Ar ymyl y cae yr hauwyd y reis, a gwaith y merched oedd ei drawsblannu yn yr amser priodol.

Gwelid amrywiaeth yn y bywyd gwyllt hefyd, ac yng nghyfoeth naturiol y wlad. Nid oedd y llew a'r eliffant yno, fel yn Affrica, ond yr oedd y crocodeil yn gyffredin i'r ddwy wlad, anifail a fedrai gadw'r Hova hyd yn oed yn dawel.

Roedd heidiau o foch gwyllt yno; y ffosa, sef anifail ffyrnig, o faint cath; y lemur, tebyg i fwnci; a'r camelion. Trysorwyd cyfoeth yng nghrombil y ddaear, a llwyddodd y brodorion i gynhyrchu haearn, llechi a chalch. Roeddent yn allforio reis, cotwm, sidan, tybaco, mêl ac afalau i ynysoedd Mauritius a Bourbon.

Y wlad hon, a ddisgrifiwyd fel paradwys, a gwlad yn llifeirio o laeth a mêl, oedd cartref y Malagasiaid, pobl lliw coffi eu croen, rhadlon a chyfeillgar ar un llaw, ond, ar y llaw arall, yn poeni dim am dywallt gwaed ei gilydd, a dweud celwydd yn ffordd o fyw iddynt. Rheolwyd bywydau'r bobl gan ddau dymor, haf a gaeaf, a chan y nos a'r dydd. Codai'r haul yn gynnar am chwech o'r gloch, tywynnu yn anterth ei nerth erbyn canol dydd, a byddai'n barod i'w wely erbyn chwech o'r gloch yr hwyr. Digon moel oedd y rhan fwyaf o ddigon o'r cartrefi: fel arfer dwy ystafell oedd i dŷ, un ar y llawr i gadw'r reis a'r offer, ac un yn y llofft i fwyta a chysgu. Adeiladwyd rhai tai o bridd coch y ddaear, ac eraill o fath arbennig o goed, 'coed y teithydd'. Medrai'r teithiwr gael dŵr o fôn coes y ddeilen, a defnyddiai pobl y goedwig y ddeilen fel plât. Defnyddid y coed i adeiladu gan eu gosod at ei gilydd heb ddefnyddio hoelen o gwbl.

Crefydd y Malagasiaid

Er eu bod yn grefyddol, annelwig iawn oedd y bobl ynglŷn â manylion eu crefydd. Bod pell oddi wrth bawb a phopeth oedd duw'r Malagasiaid. Os oedd yn greawdwr nid oedd dim diddordeb ganddo yn ei greaduriaid. Dim ond drwy'r eilunod felly y medrai ymwneud â'r byd o gwbl, a gwlad yr eilunod oedd Madagascar, rhai yn yr amlwg a rhai ym mhob twll a chornel ar yr Ynys. Addoli'r rhain oedd hen hanes y bobl a chafodd canrifoedd o draddodiad afael dynn arnynt. Arferiad oedd yn bwysig iddynt, nid athrawiaeth. Ni fyddent yn amddiffyn eu cred yn ddeallusol, dim ond derbyn traddodiad yn emosiynol. Yr eilunod oedd yr is-dduwiau a rhaid oedd bod yn ofalus i'w cadw mewn hwyliau da. Nid oedd temlau gan y bobl i addoli, ond, yn hytrach dŷ cysegredig, a oedd, hefyd, yn gartref i geidwad yr eilunod. Wrth ei wregys ef oedd yr allweddau, gyda'r awdurdod i agor drws y tŷ a chyflwyno gweddïau'r bobl i'r duwiau.

Arswydai pawb yn y gymdeithas rhag bod heb eilun, y cyfoethog a'r tlawd, y cyffredin a'r brenhinol. Yr eilun mwyaf ei barch a'i ddylanwad oedd 'yr un bach enwog', oherwydd ef oedd amddiffynnwr y deyrnas. Gwae'r neb a fyddai'n ei amharchu, yn arbennig trwy anwybyddu'r 'Fady', sef y pethau gwaharddedig, yn cynnwys cig moch, malwod, drylliau, dillad lliwgar a phowdwr. O'i fodloni yr oedd gwobrau lawer, megis y gallu i ddryllio caerau gelynion, a sicrwydd o lwyddiant i'r ffyddloniaid.

Gyda'r pwyslais hwn ar yr eilunod, a'r ansicrwydd ynglŷn â Duw, nid rhyfedd nad oedd gan y Malagasiaid air am enaid. Eto i gyd, yr oedd marw'n beth real iddynt, a'u paratoadau ar gyfer angladd yn fanwl iawn. Y beddrod oedd y man pwysicaf i'r teulu, pwysicach hyd yn oed na'r cartref. Medrai'r cyfoeth-ogion fforddio angladd rwysgfawr a bedd gwych, ond llafuriai'r tlodion hefyd, nid yn unig i gynnal y teulu, ond er mwyn sicrhau'r ymadawiad gorau â'r byd hwn. Medrent fyw mewn cotwm, ond ei breuddwyd oedd cael marw mewn sidan. Hawdd iawn oedd adnabod bedd y cyfoethog oherwydd roedd yn ystafell helaeth un llawr, a bwthyn bychan wedi ei adeiladu arno. Os oedd beddau'r tlodion yn fwy distadl, mynnent hwythau gladdu'r pethau gorau gyda'r ymadawedig, y pethau a oedd yn annwyl ganddynt, a rhag ofn y byddai eisiau bwyd ar yr ysbrydion, darparwyd digon o reis a mêl ar eu cyfer.

Nid oedd pob ysbryd yn fodlon ar ei fyd ar ôl gadael y ddaear, ac weithiau mynnai ddychwelyd i boeni'r byw. Crynai'r Malagasiaid wrth feddwl am ymwelydd o'r byd arall, a gwaeddent wrth y beddau ar i'r ysbrydion beidio â dychwelyd. Pan ddychwelai ysbryd roedd gan y bobl ddefod er mwyn ei ladd. Cymerid cangen o goeden arbennig a'i tharo ar fedd yr ysbryd aflonydd, a cherdded wedi hynny o dŷ i dŷ lle y bu'r ysbryd ar ymweliad. Curid muriau'r tai a châi'r gangen neu'r canghennau eu llosgi. Câi'r llwch ei gasglu mewn basged a'i arllwys ar y bedd a gurwyd yn gynharach.

Tynged, ac nid rhagluniaeth, a benderfynai gwrs bywyd pob unigolyn. Ar ddydd geni plentyn gelwid y dynion hysbys a fedrai ddweud wrth y rhieni ai da neu ddrwg a fyddai tynged y newydd-anedig. Os drwg oedd yr ateb, claddwyd y bychan yn fyw mewn pwll o ddŵr a thaflu pridd drosto. Os ychydig bach o ddrwg a fyddai ar ei lwybr, yr ateb oedd aberthu er mwyn dileu'r drwg hwnnw. Mater rhwydd felly oedd derbyn y drefn gymdeithasol, lle'r oedd y rhyddion yn rheoli'r caethion. Nid oedd caethwasiaeth ym Madagascar mor greulon â'r drefn yn America, ond nid yw unrhyw ffurf ar gaethwasiaeth yn bleserus. Elwai'r wlad hefyd ar y gaethfasnach, a'r fasnach brysur iawn rhwng yr Ynys a Mauritius, a rhwng y meistri a'r Ewropeaid, yn arbennig ym mhorthladd Tamatave (Toamasina heddiw).

Menter a siom

I'r wlad ddieithr hon y mentrodd y cwmni o Gymru. Awydd David Jones a Thomas Bevan oedd mynd i Fadagascar gynted ag oedd bosibl. Hwyliodd y ddau o Bort Louis ym Mauritius i Tamatave, a chyrraedd yno 18 Awst 1818. Dyma oedd eu cyfle cyntaf i geisio deall y bobl a'u harferion a sylwi ar natur y wlad. Ar ôl cyfnod o chwech wythnos dychwelodd y ddau er mwyn trefnu i'w teuluoedd sefydlu ym Madagascar. Gohiriwyd y bwriad oherwydd tostrwydd Mary Bevan, ac wedi oedi, teulu David Jones yn unig a groesodd i'r Ynys. Mewn ychydig fisoedd llethwyd pob un ohonynt gan afiechyd, a chipiwyd y fam a'i baban gan farwolaeth, a gadael y tad mewn gwendid a galar. Yn ôl ym Mauritius cryfhaodd Mary Bevan ddigon i fentro ar y siwrnai i Fadagascar, ond glanio mewn tywydd garw a wnaeth y teulu, a gwynt croes hefyd oedd clywed am farw priod a phlentyn David Jones. Daliwyd y Bevaniaid hwythau gan afiechyd, a'r tro hwn nid arbedwyd un ohonynt. Felly, mewn llai na dau fis roedd beddau i bum Cymro yn naear Madagascar:[3]

13 Rhagfyr 1818, marw baban David a Louisa Jones
29 Rhagfyr 1818, marw Louisa Jones
20 Ionawr 1819, marw baban Thomas a Mary Bevan
31 Ionawr 1819, marw Thomas Bevan
3 Chwefror 1819, marw Mary Bevan

Profiad chwerw oedd hwn i David Jones, a phrofiad a ddrylliodd ei gynlluniau. Yr oedd mewn gwendid mawr, y fath wendid fel na fedrai gyflawni llawer yn Tamatave, na dychwelyd i Fauritius.[4] Cryfhaodd ddigon i gadw ysgol am ychydig,[5] cyn dychwelyd i Fauritius ym mis Ebrill.

Yn ei unigrwydd ym Mauritius, cafodd David Jones gwmni Le Brun, a fu'n fodd i godi ei ysbryd, a'i alluogi i feddwl am waith pellach. Erbyn mis Awst 1819 llwyddodd David Jones i agor ysgol ddyddiol, ar gyfer plant y caethweision yn arbennig, ac ysgol Sul, yn Belle Ombre.[6] Tua chwech a deugain yr un oedd yn y ddwy ysgol. Ar y Sul pregethai David Jones yn y Ffrangeg, gan gateceisio ddwywaith yn ystod y dydd ac eto ar nos Fercher. Agwedd arall ar y gwaith oedd dysgu geiriau emynau a'u canu fin nos nes bod atsain y gân drwy'r pentref i gyd. Nid oedd y brodorion i gyd o blaid yr ysgolion, na'r Ewropeaid chwaith, oherwydd masnachu oedd yn bwysig iddynt hwy, nid gofalu am fuddiannau'r bobl.

Trwy drugaredd dychwelodd Robert Farquhar i Fauritius, nid yn unig i gynrychioli Prydain, ond i hyrwyddo gwaith cenhadol Le Brun a David Jones. Mewn cydweithrediad â Farquhar cafodd David Jones gyfle i gyfrannu i ddigwyddiad hanesyddol yn hanes yr Ynys, sef, dileu'r gaethfasnach. Mae'r cefndir i'r digwyddiad yn yr hyn a ddigwyddodd yn 1817.[7] Y flwyddyn honno trefnodd Robert Farquhar i James Hastie, ei asiant, a milwr profiadol, fynd i Damatave i gwrdd â'r brenin

Radama, er mwyn llunio cytundeb i roi terfyn ar y fasnach annynol. Ar y pryd roedd Radama yn y porthladd gydag wyth mil ar hugain o filwyr i ostegu cynnwrf yn y rhan honno o'r wlad, a dengys maint ei fyddin beth oedd ei allu milwrol.

Yn y trafod bryd hynny cytunodd Radama y byddai manteision lawer o ddwyn y fasnach i ben, yn cynnwys prynu a gwerthu mwy gonest, cyfle i gael gwell cyfreithiau a hybu crefftau. Roedd Radama'n ymwybodol hefyd mai ef oedd y brenin cryfaf yn yr Ynys, a'r awdurdod i dderbyn neu wrthod cytundeb. Mae'n siwr fod hyn yn porthi ei falchder. Canlyniad y trafod oedd trefnu cyfarfod swyddogol yn Tamatave ym mis Hydref 1817, pryd y lluniwyd cytundeb i ddileu'r gaethfasnach. Ar sail addewid Radama i wneud hynny addawodd Hastie swm o arian, drylliau a phowdwr i Fadagascar. Nid oes amheuaeth bod y brenin o ddifrif oherwydd cyhoeddodd yn glir pe gwerthid ei bobl ef i unrhyw wlad byddai'r euog yn sicr o farwolaeth. Yn anffodus, cymerodd y Cadfridog Hall le Robert Farquhar ym Mauritius, a thorri'r cytundeb trwy wrthod y swm dyladwy o arian i Fadagascar.

Cyrhaeddodd y newydd Damatave, a'r brenin yn Antananarivo, prifddinas y wlad, tua chanol yr Ynys. Danfonodd yntau negesydd at James Hastie i brotestio, ond sicrhaodd Hastie ef y gwnâi ei orau i amddiffyn y cytundeb ar ôl dychwelyd i Fauritius. Haws dweud na gwneud, oherwydd pan ddychwelodd, ei anwybyddu a wnaeth y Cadfridog Hall. O ganlyniad, crewyd amheuaeth ynglŷn â bwriadau Prydain, cymhlethwyd perthynas y cenhadon â'r awdurdodau a'r brodorion, a chafodd y Ffrancwyr gyfle newydd i ddylanwadu ar ynys Madagascar. Clywodd Ffrancwr, o'r enw Mr Roux, am yr hyn a ddigwyddodd a dal ar y cyfle i ddweud wrth y brenin mai Ffrainc oedd y wlad i ddiogelu ei fuddiannau. Un peth oedd ym meddwl y Ffrancwr wrth sôn am fuddiannau, sef yr elw o'r gaethfasnach, a dechreuodd yntau ac eraill werthu caethweision i wledydd eraill. Mewn byr amser roedd y fasnach mor brysur ag yr oedd cyn 1817, pan werthid tair i bedair mil mewn blwyddyn. Bu'r Ffrancwyr yn ddraenen yn ystlys y brenin am flynyddoedd ar ôl hyn.

Taith hanesyddol

Tra gwahanol oedd yr hanes pan ddychwelodd Robert Farquhar, gan ei fod ef yn benderfynol o ail-lunio'r cytundeb. Rhoddodd awdurdod eto i James Hastie fynd i'r brifddinas i gyfarfod â Radama , a'r tro hwn aeth David Jones gydag ef.[8] Paratôdd y ddau ar gyfer y daith, James Hastie, fel cynrychiolydd brenin Lloegr, a David Jones, y Cymro, cynrychiolydd brenin y brenhinoedd. Gadawodd y ddau 4 Medi 1820 yn yr *Eliza Williams*, scwner y llywodraeth Brydeinig, angori yn Tamatave, Sadwrn y nawfed, ac aeth David Jones ac un o'r cwmni i'r dref i gwrdd â Jean Renie, llywodraethwr y lle. Clywsant ganddo am yr ymrafael rhwng y llwythau, ac, o ganlyniad, bod reis yn brin. Ar ôl yfed glasied o win gyda Renie, dychwelodd y ddau i'r llong dros nos.

Diwrnod fel pob diwrnod arall oedd y Sul, a dechreuwyd paratoi ar gyfer y daith i'r brifddinas. Erbyn y Sadwrn roedd popeth yn barod a'r cwmni'n gyflawn, James Hastie, David Jones, trigain i ddeg a thrigain o ddynion a elwid y Marmite, i gario'r nwyddau, a cheffylau'n rhodd i'r brenin. Blinedig oedd y daith ar yr afon ac ar y tir, ond faint bynnag oedd y lludded mynnai David Jones amser i fyfyrio a gweddïo. Weithiau tywynnai'r haul mor danbaid nes eu llosgi, a phryd arall glawiai mor drwm nes eu gwlychu i'r croen. Ar yr afon teithiwyd mewn badau a elwid 'pirogues':[9]

23d Sat [Medi] Set off 1/2 after 7—Mr Hastie, the Government Agent, went on land with the horses & myself went in the pirogues by water, arrived at Tasimbolo to breakfast at 11—set off 1/2 after one & arrived at Manambwnte at 7 where we slept. This day we finished to go by pirogues.

Nid eithriad oedd y diwrnod hir hwn. Dyma oedd yn

nodweddiadol o'r daith i gyd. Newidiwyd y dull o deithio, a chyfeiria David Jones at hyn, ac at un o ryfeddodau'r daith:[10]

24th Sun. In the morning we had much trouble with the Marmites & our house filled with people who were ungovernable. We set off in the palanquin (made like a cot hanging on a pole) at 9 & arrived at Banwmafan (hot water) at noon where we stopped until the following morning. The village was so small that there were no homes sufficient for our party. There is at Banwmafan a well of water always boiling so hot, that beef, eggs, potatoes &c can be boiled in it & cooked sufficiently for eating them. I went to see it & drank some of the water, which was so hot that I could not hold the cup in my hand. I could hardly belive [sic] until I saw & tasted it. The Malagash pay much respects to this well & look upon it with adoration, being the peculiar manifestation of the divine power.

Cyfeiria David Jones yn aml at nodweddion y wlad, y ffyrdd gwael, y coedwigoedd trwchus a'r llynnoedd eang. Tasg anodd oedd dringo ambell fynydd pan nad oedd dim ond grisiau cul wedi eu torri hwnt ac yma.

Os oedd y teithio'n flinder i'r corff, blinder i'r enaid oedd y gaethfasnach. Ar ddydd Mercher, 27 Medi, aeth dyn o'r enw Samingo heibio i'r cwmni, yn arwain dau gant o gaethweision Hova. Dau ddiwrnod yn ddiweddarach digwyddodd yr un peth. Ar ôl noson ddi-gwsg, oherwydd yr oerfel a'r gwlith trwm, cychwynnodd y cwmni ar eu taith am 6 o'r gloch y bore:[11]

This morning we passed about a 1,000 slaves from Ova who were sent to Tamatave to be sold. Both old and young composed the number. It was dreadful to see such a number of human beings in irons & driven from their country to be sold like sheep in the market—yea, lamentable it was, to see so many little children between 6 and 8 years old taken away from their parents for ever. My heart was aching with tears in my eyes at the inhuman scene. If such a number of slaves were to be driven in the streets of London, in irons & carrying loads on their heads, like sheep into Smithfield to be sold, the scene without doubt, would fill the eyes of both high and low with tears, & would stimulate them to greater exertions to suppress such traffic.

Dyma'r fasnach yr oedd James Hastie a David Jones am ei dileu.

Daeth diwedd y daith ar y trydydd o Hydref wedi dros bythefnos o siwrnai, a chafodd y cwmni groeso brenhinol yn Antananarivo. Am 4 o'r gloch y prynhawn, arweiniwyd James Hastie a David Jones drwy ddwy reng o filwyr, gyda chanon yn tanio, i iard y Palas, a'u derbyn gan y brenin. Cyfarchodd Hastie ef a chyflwyno David Jones. Cyfarchodd yntau'r brenin, plygu un glun, cusanu ei law a rhoi darn o aur iddo fel anrheg. Arweiniodd y brenin hwy i'w balas ysblennydd, lle'r oedd pob dim wedi eu addurno ag arian. Eisteddodd James Hastie ar law dde'r brenin a David Jones ar y llaw chwith. Byrlymai Radama gan lawenydd, gan gofleidio James Hastie, a chwerthin yn afreolus. Casglodd y bobl yn dyrfaoedd i'w gwylio, gan forio canu a dawnsio'n ddiflino.

Ar ôl y croeso brwdfrydig dechreuwyd trafod o ddifrif. Bu pedwar cyfarfod ar yr ail ddiwrnod, sef y dydd Mercher, a chafwyd cinio gyda'r brenin ar ddiwedd y dydd. Ar y dydd Iau, daeth y brenin ddwy waith i ystafell James Hastie a David Jones. Yn ddiweddarach yn y dydd cyfarfu James Hastie â'r brenin er mwyn egluro'n fanwl fanteision dileu'r gaethfasnach. Pwysleisiodd yn arbennig y golled ddynol o'i chadw, ac felly'r niwed economaidd i'r wlad. O arwyddo'r cytundeb byddai gwell perthynas rhwng Madagascar a Phrydain, cyfle i'r Ynys elwa'n addysgol a mwynhau amrywiaeth o grefftau. Heriodd y brenin ef ynglŷn â didwylledd llywodraeth Prydain, a hynny'n naturiol o gofio am frad y Cadfridog Hall. Crewyd dihareb yn y wlad, yn ôl Radama, 'Mor dwyllodrus â Saeson'. Sicrhaodd James Hastie'r brenin ei fod ef a Llywodraeth Prydain o ddifrif.

Ar y dydd Gwener cafodd y bobl gyfle i ddangos eu croeso. Bu mynd a dod i dŷ James Hastie a David Jones drwy'r dydd, rhai yn dod â defaid, eraill yn dod â hwyaid. Cyfle i ymlacio ychydig oedd y Sadwrn, brecwast gyda'r brenin a marchogaeth gydag ef yn y prynhawn. Yn yr hwyr, trafod eto. Treuliodd Radama'r Sul ar ei hyd yn trafod gyda'i swyddogion. Yn y bore daliodd David Jones afael ar y cyfle i fyfyrio a gweddïo, ond ychydig ar ôl 3 o'r gloch y prynhawn galwyd James Hastie, yn gyntaf, ac yn union wedyn, David Jones, i bresenoldeb y brenin. Yn y cyfarfod hwn eglurodd James Hastie mai cref-yddol oedd natur cenhadaeth David Jones, gan gadarnhau yr hyn a ddywedodd eisoes am y gwelliannau o ddileu'r gaeth-fasnach, a chyfeirio at esiampl Ynysoedd Môr y De.

Trefnwyd cyfarfod arall am 4 o'r gloch ddydd Llun, pan bwysleisiodd James Hastie ddau beth, sef yr elw addysgol i Fadagascar, a'r gwaith da a wnaeth y Gymdeithas Genhadol mewn sawl gwlad drwy'r byd. Derbyniodd y brenin y ddau sylw'n garedig a chadarnhaol, a dymuno i rai o'i bobl gael mynd i Brydain i dderbyn addysg. Yr un oedd ei bwyslais mewn cyfarfod ddydd Mawrth, ond y tro hwn awgrymodd y dylai ugain o'i bobl gael addysg ym Mauritius a Phrydain yn ogystal ag hyfforddi rhai ym Madagascar ei hun. Trafododd James Hastie ymateb y brenin gyda David Jones, a chredai'r cenhadwr y byddai'r Gymdeithas Genhadol yn fodlon derbyn cyfrifoldeb am chwech o bobl. Hysbyswyd y brenin o hynny, a chyflwyno adroddiad y Gymdeithas Genhadol am 1819 iddo, fel y medrai weld drosto'i hun beth oedd ei gweithgarwch y flwyddyn honno. Mae'n amlwg erbyn hyn fod yr asiant a'r cen-hadwr yn disgwyl ateb pendant oddi wrth Radama, oherwydd y mae awgrym o fygwth yn eu siarad. Ffordd Hastie o fynnu ateb oedd hysbysu'r brenin bod gan y Bod Mawr y gallu i ddiorseddu brenhinoedd, a ffordd David Jones oedd mynegi ei barodrwydd i fynd i'r India, lle y byddai yno groeso a rhyddid

iddo wneud ei waith. Dyma enghraifft, siwr o fod, o or-
ddweud bwriadol.

Dileu'r fasnach mewn caethion

Llwyddodd y trafod a'r bygwth oherwydd ar y dydd
Mercher, 11 Hydref 1820, cytunodd Radama i ailsefydlu'r
cytundeb a dorrwyd yn 1817, ar yr amod bod deg o'i bobl i
dderbyn addysg ym Mauritius a Phrydain. Arwyddwyd y
cytundeb, chwifiwyd y faner Brydeinig, taniwyd y canon a
chasglodd y tyrfaoedd i lawenhau. Bolltiwyd drws y gaethfas-
nach ac agorwyd drysau i Brydain a'r Gymdeithas Genhadol
ym Madagascar. Yn deimladwy iawn nododd David Jones y
digwyddiad yn ei ddyddiadur:[12]

I conceived as if I heard the voice of infants crying as loud as
any, hail the day: for we shall not be snatched any more from
our parents' bosom to be sold slaves to a strange nation & to
be dragged from our native country—the people dancing
and singing without fatigue & hailing their king & the British
nation with incessant shouts. Never was so joyful a day seen
in Madagascar before. While I was looking at the union flag
of great Britain & Madagascar flying very high in the court-
yard, and at all the people around me smiling in my face, my
joy was inexpressible with tears in mine eyes.

Yr un diwrnod gwahoddodd y brenin David Jones i aros ym
Madagascar, ac addo tŷ a dau was iddo. Gofynnodd y cen-
hadwr am sicrwydd diogelwch i genhadon eraill hefyd, a
rhoddodd y brenin ei air y byddai croeso a diogelwch iddynt.

Rhaid oedd dathlu'r achlysur. Ddydd Gwener geiriwyd y
cytundeb yn derfynol, ac aeth James Hastie a David Jones i
ginio gyda'r teulu brenhinol, mam y brenin a'i hail ŵr, pedair
chwaer, un brawd, ynghyd â rhai swyddogion.

Diwrnod arwyddocaol iawn oedd hwn, felly, yn hanes
Madagascar. Dilewyd y gaethfasnach, ond roedd caethwasiaeth

yn dal mewn grym. Sefydlwyd perthynas rhwng y wlad a
Phrydain, a golygai hynny agor y drws i'r Saeson a chau'r drws
yn erbyn y Ffrancwyr, er iddynt hwy ddal i guro wrth y drws,
a chyn diwedd y ganrif ei fwrw i lawr. Dyma'r cytundeb a
sicrhaodd arhosiad David Jones ym Madagascar i arloesi
gwaith sy'n mynd yn ei flaen o hyd. Y cytundeb hwn a
arwyddwyd gan James Hastie, cynrychiolydd Prydain Fawr,
a'i galluogodd i aros, ac nid oedd unrhyw allwedd arall i agor
y drws i'r Ynys. Dyma'r ffordd i'r brifddinas ac i galon
Radama, a heb ennill ei gydymdeimlad ef nid oedd unrhyw
obaith cyflawni gwaith cenhadol ym Madagascar.

Gadael Gwynfe

I raddau helaeth, felly, gorchfygwyd siom David Jones gan
obaith, ac ar ben hynny roedd newyddion da o Gymru wrth y
drws. Tra oedd David Jones a James Hastie yn ymweld â
Radama, roedd Cymro arall wrthi'n paratoi i fynd allan i
Fadagascar. David Griffiths (1792-1863), oedd y gŵr hwnnw,
mab Glanmeilwch, Gwynfe, Sir Gaerfyrddin.[13] Cafodd ychydig
addysg yn un o ysgolion y cylch, cyn mynd at Thomas Phillips
yn ysgol Neuadd-lwyd yn 1814. Am ychydig amser, felly, bu
David Jones, Thomas Bevan a David Griffiths gyda'i gilydd yn
yr ysgol. Oddi yno aeth i Wrecsam, a symud gyda'r cwmni
cyntaf o fyfyrwyr i Lanfyllin at George Lewis (1763-1822), gŵr
a anwyd yn Nhre-lech, ac a gafodd beth o'i addysg yn ysgol
Castellhywel. Profodd David Griffiths amryw o ddylanwadau
am gyfnod o tua tair blynedd cyn bod yn gwbl siwr y dylai
fynd i Fadagascar. Y rhai pwysicaf oedd clywed John Evans yn
ateb y cwestiynau yn ei gwrdd ordeinio yng Nghaerfyrddin,
cyn mynd i Lattakoo, De Affrica, pregeth David Peter ar yr un
achlysur a darllen hanes teithwyr a chenhadon.

Cefnogwyd cais David Griffiths i fynd i'r maes cenhadol gan
George Lewis, Llanfyllin, a Thomas Phillips, Neuadd-lwyd, a
pharatowyd yr ymgeisydd ar gyfer ei waith gan David Bogue,
Gosport.[14] Yn ystod y cyfnod hwn, meddyliai David Griffiths o

ddifrif am briodi, ond credai'r cyfarwyddwyr yn Llundain, a Le Brun ym Mauritius, y dylai fynd allan yn ddibriod. Hysbysodd y Cymro'r cyfarwyddwyr na fedrai newid ei feddwl, iddo ofyn cyngor y cenhadwr William Ward (B), a'i cynghorodd i ymddiried yn rhagluniaeth Duw, a 'Mr Jones' (a ddaeth yn weinidog Gwynfe yn 1822?), ac roedd yntau o'r farn y dylai'r gŵr sengl briodi.[15] Beth bynnag, roedd dau reswm pellach, sef ei serch at ei gariad, a'r newid a ddigwyddodd ym meddwl ei rieni. Buont yn amharod iawn i weld eu mab yn gadael cartref, ond yn raddol newidiodd eu hagwedd, a byddai gweld eu mab yn priodi yn fodlonrwydd mawr iddynt. Cadarnhawyd argyhoeddiad David Griffiths pan glywodd am farw Thomas Bevan; rhaid oedd mynd i Fadagascar a mynd yn ŵr priod.

Cyfeiria David Griffiths at ei gariad, sy'n awgrymu bod ganddo rhywun pendant mewn meddwl. Pan ofynnodd y cyfarwyddwyr iddo, ymhlith cwestiynau eraill, a oedd yn briod, atebodd yr ymgeisydd, 'No, I would be very glad to know the will of the Lord in this like other things, but my intention is to have a wife, and my mind is not entirely unfixed.' Yr un a oedd ganddo mewn meddwl oedd Mary Griffith, aelod yn eglwys yr Annibynwyr ym Machynlleth. Priodwyd y ddau yn 1820 ac ar 27 Gorffennaf ordeiniwyd David Griffiths yng Ngwynfe. Hwyliodd y ddau am Fauritius 25 Hydref a chyrraedd yno 23 Ionawr 1821.

Yr un flwyddyn, sef 1821, hwyliodd un cenhadwr a phedwar crefftwr i Fadagascar. Y cenhadwr oedd John Jeffreys, a addysgwyd yn Hoxton, Llundain, a'r crefftwyr oedd Thomas Brooks, saer, John Canham, crydd, George Chick, gof, a'r Cymro o sir Amwythig, Thomas Rowlands, gwehydd.[16] Ar yr un llong roedd y tywysog Rataffe, priod chwaer hynaf Radama, a fu yn Llundain am ychydig amser fel cennad dros Fadagascar. Roedd cytundeb 1820 yn dwyn ei ffrwyth.

3
Y Beibl i'r Bobl

Trwy ddŵr a thân y sicrhawyd iaith ysgrifenedig i bobl
Madagascar. Dyma un o gymwynasau mawr
Cymru i'r wlad honno.

———

Agorwyd i mi ddrws mawr a grymus, ac y mae
gwrthwynebwyr lawer.
(1 Cor. 16:9)

Cyrhaeddodd David Griffiths Antananarivo 30 Mai 1821, yng nghwmni James Hastie, y capten Douglas a rhai crefftwyr. Llamodd calon David Griffiths o weld David Jones, ac yntau mewn iechyd da yn gorfforol, a bywiog ei ysbryd. Roedd David Jones ar fin gadael am Fauritius i baratoi ar gyfer ei briodas, a bu'n rhaid i'r cenhadwr dibrofiad ofalu am yr ysgol yn lle'r cenhadwr hŷn. Gadawodd yntau hefyd ym mis Awst i gyrchu ei wraig a'i blentyn o Damatave. Tra oedd yno cyrhaeddodd David Jones a'i briod newydd, Mary Anne Mabille, aelod yn eglwys Le Brun.[1] Ymunodd â'r cwmni i ddychwelyd i'r brifddinas, a chroesawyd hwy yno gan James Hastie a Radama, a gwahoddodd y brenin hwy i ginio. Craffodd David Griffiths ar rai o nodweddion y brenin, ei bwyll, ei ddoethineb, a'i barodrwydd i dderbyn newidiadau, ond yn raddol, serch hynny. Credai'r Cymro y medrai ymddiried ynddo, er mai lles personol a lles y wlad oedd yn cyfrif i Radama, ac nid y neges Gristnogol.[2]

Ar ôl cinio arweiniwyd y cwmni i'w cartrefi, David Jones a'i wraig i'r tŷ a godwyd iddynt gan Radama, a David Griffiths a'i deulu i un o'r tai brenhinol nes bod eu tŷ hwythau'n barod.

Dau enaid hoff, cytûn, oedd David Jones a David Griffiths, er yn wahanol mewn sawl ffordd. Gŵr tal, tenau a gwanllyd oedd David Jones, ac olion y dwymyn Falagasaidd yn amlwg arno, ond gŵr cadarn ei gorff oedd David Griffiths, llawn ynni, a byth yn blino. Gwisgai gôt uchaf, liw golau, a oedd bob amser heb ei chau, nes ei bod fel adenydd iddo pan gerddai o gwmpas yn chwim ei droed.[3]

Ymunodd John Jeffreys a'i wraig a'r cwmni, a chawsant hwythau hefyd groeso brenhinol. Derbyniwyd hwy i'r brifddinas yn sŵn y gynnau, cael cinio gyda'r brenin, a'u harwain wedi hynny i'w cartref newydd. Bore trannoeth, danfonodd Radama roddion iddynt, dafad, gŵydd, hwyaden a hanner cant o wyau. Derbyniodd yntau roddion oddi wrth John Jeffreys ar ran y Gymdeithas Genhadol, sef Beibl a llun.[4]

Yn ei adroddiadau cynnar cyfeiriodd y cenhadwr at y melys a'r chwerw ym Madagascar. Melys dros ben oedd clywed oddi wrth David Jones fod y brenin yn dymuno i'r crefftwyr ddysgu dau o'i feibion yn y crefftau gwahanol, a'i wobr i'r cenhadon am wneud hynny fyddai gwas yr un. Rhoddodd y brenin hefyd ddarn o dir i godi tai i hybu gwaith y crefftwyr a'r genhadaeth yn gyffredinol. Mewn amrantiad bron, roedd o leiaf ddwy fil o weithwyr yn brysur yn eu hadeiladu.[5] Y stori chwerw oedd yr hanes am farw Thomas Brooks, y saer. Trawyd ef yn wael ar ganol pryd o fwyd yng nghartref David Griffiths. Gwaethygodd ei gyflwr yn gyflym, a bu rhaid i'r cenhadon ei wylio am nosweithiau lawer, ond bu'r tostrwydd yn drech nag ef, a bu farw o fewn pythefnos.[6]

Fel y cynyddai nifer y cenhadon a'r Ewropeaid eraill, cynyddai eu dylanwad hefyd ar y wlad. Pan ddychwelodd James Hastie, ar ôl ei seibiant, daeth â cheffylau, milgwn, cathod, hadau a phlanhigion gydag ef.[7] Derbyniodd Radama hwy yn llawen gan fod hyn yn cyfoethogi'r wlad. Llaciodd ychydig ar rai o arferion yr Ynys. Yn 1822 cyhoeddodd fod rhyddid i fagu moch, a chadw cathod er mwyn lladd llygod.[8] Hyd hynny, ystyriwyd bod bwyta cig moch yn drosedd yn erbyn yr

eilunod, a bod pwy bynnag oedd yn cadw cath yn swynwr.
Polisi Radama oedd elwa o ddyfodiad yr Ewropeaid, ond, ar yr
un pryd, diogelu prif nodweddion bywyd ei wlad.

Ffurfio'r iaith a dechrau cyfieithu

Un o argyhoeddiadau pennaf y ddau Gymro oedd bod
angen cyfieithu'r Ysgrythur i iaith pobl Madagascar. Fel y cen-
hadwr iau anfonodd David Griffiths neges at David Jones, yn
gofyn am wybodaeth am yr iaith a chyngor ynglŷn â chyfiei-
thu. Carai wybod yn arbennig a luniwyd unrhyw reolau hyd
hynny. Mae'n amlwg, yn ôl ateb David Jones, iddo ef a Thomas
Bevan astudio'r iaith yn fanwl yn syth ar ôl cyrraedd.[9]
Casglwyd y wybodaeth oedd ar gael a dechrau llunio geirfa er
mwyn paratoi geiriadur. Roedd un copi o eirfa Thomas Bevan
ym meddiant David Jones. Ei fwriad oedd defnyddio seiniau'r
cytseiniaid a'r llafariaid Saesneg wrth astudio'r iaith.
Hysbysodd y cyfarwyddwyr yn Llundain o'i fwriad, ond nid
oeddent hwy yn rhy hapus â'r trefniant. Ni ofidiai David Jones
lawer am hynny, oherwydd roedd yn berffaith sicr mai cyd-
weld ag ef a wnâi ei athro David Bogue.

Roedd David Jones a Thomas Bevan wedi cytuno ar reolau
pendant. Cytunodd y ddau:[10]

1st That we adopt the Roman characters in writing the
Malagash language.

2ndly That we imitate no particular language whatsoever
written in the above characters, in forming the Orthography
of the Malagash tongue, for as much as it appeared to us evi-
dent that there are many difficulties to be encountered in
learning the European languages known to us, arising from
superfluous characters and the different sounds given to
vowels and consonants. See Murray.

3rdly That we therefore proportion the number of letters to
that of sounds, and let every sound have its own character,
and every character a single sound, in the formation of the

Orthography of the Malagash language. See Johnson on this subject.

4th That we appoint and establish the following characters to stand for the vowels. viz

English	aa,	a	e,	o,	u,	oo
Malagash		a	e, i	o	u	w

To which I have added since my arrival in Imerina the English final y as in beauty—hzy Malagash. The English i is only the dipththong ei or ai, and therefore is superfluous and needless. And the following characters be appointed for consonants: b, d, f, g hard, h, j answering for the soft sound of f. g, k answering for c hard, and q, l, m, n, p, r, s, t, v, z—x is only ks and its sound seldom occurs in Malagash words.

5thly That we change not the three first rules on any account at the request of any future Missionary sent out to the Mission unless we be convinced by fair and solid argument of their impropriety and insufficiency to furnish us with every thing necessary to form a correct Orthography of the Malagash language.

Dengys y rheolau allu ieithyddol y cenhadon cynnar, a'u medr i ddyfynnu'r awdurdodau, megis Murray, sef Alexander Murray (1775–1813), yr ieithydd o'r Alban, a Johnson, sef Samuel Johnson (1700–1784), y llenor a'r beirniad Saesneg. Doethineb mawr oedd cael rheolau pendant a dull clir o weith-redu, nid yn unig i gychwyn y gwaith ond fel sail hefyd i drafod gyda chenhadon newydd. Mae'n rhyfeddod faint a wnaethpwyd yn y dyddiau cynnar hyn ynghanol helbulon cenedlaethol a theuluol. Gosodwyd y seiliau i iaith ysgrifen-edig ym Madagascar.

Symbylwyd y cenhadon i fwrw 'mlaen â'r gwaith. Mewn cyfarfod yn nhŷ David Jones, 18 Chwefror 1823, trafodwyd amryw o faterion cyn trafod yr iaith.[11] Darllenodd David Griffiths y rheolau a luniodd David Jones a Thomas Bevan, a chytunodd pawb ar wahân i John Jeffreys. Rhoddwyd copi o'r rheolau iddo i'w hastudio'n fwy manwl. Asgwrn arall yn y gynnen oedd y cytundeb i'r cenhadwr hynaf, sef David Jones, ddarllen yr adroddiadau a anfonwyd i'r cyfarwyddwyr. Nid oedd angen gwneud hynny ym marn John Jeffreys.

Bu trafod pellach rhwng David Jones a David Griffiths, a chyflwynodd yr olaf awgrymiadau ynglŷn â'r cytseiniaid, c, q, x, i gyfateb i ts, ng, abz. Cytunodd David Jones. Felly, roedd y wyddor yn barod i'w chyflwyno i'r cenhadon, James Hastie, Charles Telfair, ysgrifennydd Robert Farquhar, a'r brenin.

Diffyg cytundeb

Yn ystod trafodaeth 22 Mawrth awgrymodd James Hastie y dylent fod yn unol ar y mater er mwyn eu tystiolaeth gerbron y bobl. Yn obeithiol, felly, gofynnodd David Griffiths i John Jeffreys a oedd yn cyd-fynd â'r cynllun, ond siomedig oedd yr ateb gan ei fod yn dal yn gyndyn. Nid oedd hyn yn syndod, ond syndod oedd agwedd feirniadol James Hastie, ac yntau newydd wneud apêl am undeb. Cyfeiriodd at y cenhadon fel 'parsel o ffyliaid ac asynnod', a chredai John Jeffreys fod y gwaith a wnaethpwyd yn 'bentwr o ddryswch'.[12] Oherwydd y diffyg cytuneb ymwelwyd â'r brenin eto, ac ar ôl cwpanaid o goffi gydag ef a dau o'i swyddogion, adroddwyd hanes y cyfarfod. Cydnabyddodd y brenin werth iaith ysgrifenedig, mynegi dymuniad i'r cenhadon ddod i unfrydedd, a chydnabod bod yr Arabeg yn iaith anodd, ac na fedrai hi fod yn sail i'r cynllun.

Calonogwyd y ddau Gymro gan ymateb y brenin. Roedd o ddifrif eisiau iaith ysgrifenedig i'w wlad. Er bod deddfau Lloegr o'r budd mwyaf i'r Ynys, pwysicach oedd mater yr iaith, a'r cenhadon a ddylai fod yn gyfrifol am hyn. Er mwyn trafod ymhellach rhoddodd y brenin yr un geiriau i bob un a oedd yn bresennol, a sylweddoli ar ôl iddynt eu hysgrifennu, bod gwahaniaeth mawr rhwng dull David Jones a David Griffiths a'r lleill. Pan astudiodd y brenin eirfa David Jones a'r cynllun yn fwy manwl, medrai eu dilyn yn rhwydd. Nid oedd hynny hyd yn oed yn ddigon i newid barn James Hastie a John Jeffreys. Gadawodd pawb yr ystafell, ar wahân i David Jones, a holwyd ef ymhellach am ei gynlluniau. Galwyd rhai o ddisgyblion yr ysgol hefyd, a'u holi'n fanwl am oriau lawer. Roedd yr ysgol yn ganolfan hanfodol i ddatblygu'r iaith. Dyma'r man lle medrai'r cenhadon dreulio amser gyda phlant yr Ynys, ac ymgydnabod â'u geirfa.[13]

Mewn llythyr at David Griffiths, 24 Mawrth, camliwiodd John Jeffreys farn David Jones, a chythruddwyd yntau o'r herwydd. Heriodd David Griffiths John Jeffreys i gyflwyno cynllun symlach, neu dderbyn yr un a gyflwynwyd eisoes. Cynhaliwyd cyfarfod arall, 25 Mawrth, ym mhresenoldeb y brenin, a oedd erbyn hyn yn gwamalu yn ei agwedd, ond argyhoeddwyd ef gan David Jones a David Griffiths o fanteision eu cynllun, yn cynnwys y wedd ariannol. Pwysleisiodd y ddau y byddai'r costau argraffu yn rhesymol iawn. Er hyn i gyd dal i wrthwynebu wnâi John Jeffreys a gwrthod ildio i farn y mwyafrif. Atgoffwyd ef o'r hyn a ddywedai David Bogue wrth ei fyfyrwyr, sef os oedd anghydweld rhwng dau, dylid gohirio trafod er mwyn cael amser i weddïo, ond os oedd mwy na dau yn anghydweld, dylid derbyn barn y mwyafrif.

Parhau i gyhuddo'r brodyr a wnâi John Jeffreys. Awgrymodd mai cynllwyn David Jones a David Griffiths oedd patrwm ffurfio'r iaith, er gwybod yn iawn mai David Jones a Thomas Bevan a wnaeth y gwaith arloesol. Ergydiodd y Sais eto trwy awgrymu i'r brenin, ar y cychwyn, wrthod holl awgrymiadau'r ddau Gymro, ond gwaith hawdd i'r ddau oedd gwrthbrofi hyn. Nid oedd y prawf hwn yn ddigon i'w dawelu, a gwnaeth fôr a mynydd o'r defnydd o'r llafariad 'w', gan haeru mai dim ond mewn 'iaith farbaraidd' y defnyddid hi, peth a oedd, wrth gwrs, yn osodiad ffôl, yr hyn a ddywedodd y cenhadon eraill yn blwmp ac yn blaen wrtho. Ei ymgais olaf i droi'r cart oedd dadlau dros ddefnyddio'r sain 'oo', a oedd ar gael yn iaith y bobl, ond ni lwyddodd i ennill clust David Jones a David Griffiths. Wedi methu'n llwyr gyda'i ddadleuon, yr unig beth y medrai John Jeffreys wneud oedd bygwth mynd â'i gyd-genhadon i gyfraith.[14]

Sylweddolodd John Jeffreys na fedrai gario'r dydd. Ni fedrai dderbyn hyn yn dawel, cododd mewn tymer wyllt, codi ei het a pharatoi i adael, ond cododd David Jones hefyd a chodi ei het yntau er mwyn gadael, gan ddweud bod trafod pellach yn amhosibl os nad oedd newid agwedd yn digwydd.[15] Unwaith eto, roedd yn rhaid cerdded yr un llwybr, sef dychwelyd at y brenin, oherwydd dim ond gyda'i gefnogaeth ef y gellid parhau gyda'r gwaith ar waethaf gwrthwynebiad John Jeffreys.

Anodd oedd mynd ymlaen â'r gwaith yn wyneb y gwrth-wynebiad, a dywed David Griffiths, 'Y mae gwŷr y cyllith hir-ion wedi dyfod i Madagascar'. Gosodwyd min ar y cyllyll gan y cyfarwyddwyr yn Llundain. Derbyniodd David Griffiths a David Jones lythyr oddi wrthynt, a oedd, mewn gwirionedd, yn eu bychanu, er bod hyn o dan glogyn bod yn dadol. Cytuno â John Jeffreys a wnaethant, a rhoi cyfarwyddiadau gydag anffaeledigrwydd pabol. Serch hynny, ni ŵyrodd y cyfieithwyr oddi ar eu llwybr, gan hyderu y byddai'r cyfarwyddwyr yn pwyllo. Dyna a fyddai orau iddynt, oherwydd roedd yn gwbl bosibl i'r ddau Gymro weithio'n annibynnol ar Lundain. Ofnai David Jones a David Griffiths 'bod tân ar fin ei gynnau rhwng Antananarivo a Llundain'. Ysgrifennai'r ddau at Thomas Phil-lips, Neuadd-lwyd, gan awgrymu y dylai yntau hysbysu David Peter, George Lewis, neu un o'r cyfarwyddwyr Cymraeg, o'r hyn oedd yn digwydd ym Madagascar.

Trwy ddŵr a thân, felly, y sicrhawyd iaith ysgrifenedig i bobl Madagascar. Dyma un o gymwynasau mawr Cymru i'r wlad honno. Dengys yr anghydfod y tyndra posibl ymhlith cen-hadon mewn gwlad estron. Yn yr achos arbennig hwn ym Madagascar, un elfen amlwg oedd gwahaniaeth personoliaeth, gan fod John Jeffreys, ac i raddau llai, David Griffiths, yn medru bod yn awdurdodol, tra oedd David Jones yn fwy pwy-llog. Hefyd, Sais oedd John Jeffreys a Chymry oedd y ddau arall, a dyma'n sicr elfen bendant yn yr anghydfod. Pan gyfeiriai'r Sais at 'iaith farbaraidd' nid oes amheuaeth mai'r Gymraeg oedd yn ei feddwl. Yn ychwanegol at hyn, roedd gwahaniaeth agwedd at ddiwylliant y wlad. Enghraifft dda o hyn yw priodas Thomas Rowlands. Penderfynodd ef briodi un o ferched yr Ynys, cam a groesawyd yn gynnes gan y ddau Gymro, ond a wrthwynebwyd yn ffyrnig gan John Jeffreys. Perthyn i genedl leiafrifol oedd y ddau Gymro, a chanddynt fwy o gydymdeimlad na'r Sais â phobl Madagascar.

Tawelu a wnaeth y storm, er i'r awelon croes chwythu hyd farwolaeth John Jeffreys yn 1827. Y ddau Gymro, David Jones a David Griffiths, a ysgwyddodd y baich o gyfieithu. Erbyn Mai 1824 gorffennwyd pedair pennod ar hugain o lyfr Genesis, un bennod ar ddeg o Efengyl Mathew, ugain pennod o Exodus ac un bennod ar ddeg o Efengyl Luc.[16] Mewn adroddiad mwy manwl ym mis Medi, hysbysodd David Griffiths iddo orffen Exodus, Efengyl Marc, Efengyl Luc, y tair bennod gyntaf o'r llythyr at y Rhufeiniaid a hanner cant o'r Salmau. Llwyddodd David Jones orffen llyfr Genesis, Efengyl Mathew a thorri asgwrn cefn y gwaith ar Efengyl Ioan, yr Actau a rhannau o lyfrau Samuel. Ar yr un pryd gweithiai David Griffiths ar wersi syml ar y Deg Gorchymyn, bywyd a marwolaeth Iesu Grist a Dydd Barn, tra oedd David Jones yn paratoi gweithiau byr ar y Creu a phriodoleddau Duw.[17]

Ym mhen ychydig fisoedd gorffennwyd y llythyr at y Rhufeiniaid, 1 a 2 Corinthiaid, Efengyl Ioan, y rhan fwyaf o'r Actau a rhannau o Galatiaid a Philipiaid. Gyda llawenydd mawr yr ysgrifennodd y ddau at y cyfarwyddwyr,[18] Mawrth 1825, i'w hysbysu bod y Testament Newydd wedi ei gyfieithu a rhannau helaeth o'r Hen Destament. Dim ond pum mlynedd yn gynharach y daeth David Jones i'r Ynys, a phrin dair y bu David Griffiths yno.

David Johns yn cyrraedd

Nid oedd y gwaith wedi ei orffen, ddim hyd yn oed ar y Testament Newydd, gan y byddai rhaid ei ddiwygio a gorffen

46

y gwaith ar yr Hen Destament. Tipyn o her oedd hyn, a new-yddion braf oedd clywed bod cymorth wrth law. Daeth hwnnw pan gyrhaeddodd David Johns, cenhadwr, yn 1826, John Joseph Freeman, cenhadwr, John Canham a Kitching, crefftwyr, yn 1827, ac Edward Baker, cenhadwr, a oedd i fod yn gyfrifol am yr argraffu, yn 1828. Cadarnhawyd gwaith y crefftwyr, y cyfieithu a'r argraffu felly. Dychwelyd o Loegr yr oedd John Canham, ar ôl bod yno i briodi. Cyn gadael Madagascar, gwnaeth ef a'r brenin gytundeb i hybu crefft y crydd. Addawodd y brenin ddarparu crwyn a rhisgl coed, a threfnu i amryw o fechgyn gael eu dysgu gan Canham, tra'r addawodd yntau roi ei holl amser i'r gwaith. Neilltuwyd hanner y lledr i'r brenin a hanner i Canham. Cytunwyd ar y pris o hanner coron y pâr i Canham, a degswllt am bob pâr o fotasau o ledr y brenin.[19]

Fel David Jones a Thomas Bevan, un o fechgyn Ceredigion oedd David Johns (1796-1843), mab y Llain, plwyf Llanina.[20] Yn union fel y ddau arall, bu David Johns hefyd o dan weini-dogaeth Thomas Phillips, Neuadd-lwyd, pan oedd hwnnw'n gofalu am eglwys Penrhiwgaled, a phan ddaeth yn amser para-toi ar gyfer pregethu, dim ond un lle oedd i'w ystyried, sef ysgol Neuadd-lwyd. Ar ôl cyfnod yng Ngholeg yr Annibynwyr yn y Drenewydd, aeth David Johns, fel y tri chenhadwr a aeth eisoes i Fadagascar, i Gosport at David Bogue. David Johns oedd un o fyfyrwyr olaf yr athro oherwydd bu ef farw yn 1825. Ordeiniwyd yr ymgeisydd 13-14 Chwefror 1826, cyn hwylio am Fadagascar gyda'i wraig, merch y Parch. William Thomas (A), y Bala, 5 Mai yr un flwyddyn. Nid David Johns oedd yr unig un ar y llong â'i wyneb tua Madagascar, oherwydd yn gwmni iddo roedd Charles Hovenden yr argraffydd, ei wraig a'r plant, ac argraffwasg. Bu'r cenhadon yn disgwyl yn hir am yr argraffwasg. Dim ond ar ôl cael argraffwasg y gellid meddwl o ddifrif am gyhoeddi llenyddiaeth i'r Malagasiaid.

Ar ôl treulio ychydig amser ym Mauritius, croesodd David Johns, Charles Hovenden a'i deulu i Damatave, a chyrraedd y brifddinas, Antananarivo, 11 Medi 1826. Aethpwyd ati'n syth i ddechrau argraffu, ond er mawr siom i'r cwmni, bu Charles Hovenden farw 15 Tachwedd, ychydig wythnosau ar ôl cyrraedd. Ychydig ddyddiau'n ddiweddarach claddwyd un o'i blant. Eisoes, yr un flwyddyn, claddwyd merch fach John Cameron, heb sôn am yr afiechyd ar David Jones a'i wraig, gwraig James Cameron, Mrs Hovenden a George Chick. Pan bregethodd David Jones yn angladd yr argraffydd, yn Saesneg, a David Griffiths yn cyfieithu, soniodd gryn lawer am gymylau a thywyllwch.[21]

Cymorth mewn argyfwng

Ergydion trwm oedd y marwolaethau a'r afiechyd i'r cwmni bach, a gadawyd hwy heb un argraffydd profiadol yn eu plith. Er hynny, mentrwyd cyhoeddi llyfrau sillafu, catecismau a llyfr emynau. Ar ôl dyfodiad Edward Baker dechreuwyd cyhoeddi'n fwy hyderus o lawer. Cymorth arall, hawdd ei gael yn y cyfyngder hwn, oedd cyfraniadau Cymdeithas y Beibl (British and Foreign Bible Society). Apeliodd ysgrifennydd y Gymdeithas Genhadol am gymorth ym mis Awst 1825. Cafwyd ateb parod a danfonwyd papur ar gyfer argraffu'r Testament Newydd, a chyflenwad pellach gydag Edward Baker pan aeth ef i Fadagascar.[22] Pan ddaeth Efengyl Luc o'r wasg, danfonwyd copi i Gymdeithas y Beibl. Anfonodd y cenhadon air o ddiolch i'r Gymdeithas, ac egluro bod angen mwy o bapur, oherwydd y bwriad oedd argraffu tair mil o gopïau o'r Testament Newydd a mil o'r Hen Destament. O ganlyniad i'r apêl anfonwyd rhagor o bapur a rhodd ariannol, sylweddol, sef £1,000, swm uchel, anarferol i un achos arbennig.[23]

Gyda'r cymorth ychwanegol oddi wrth J. J. Freeman ac Edward Baker, hwyluswyd y gwaith yn fawr iawn. Cytunwyd i ddechrau ar waith y diwygio terfynol 1 Ionawr 1828.[24] Nid oedd ball ar ddiwydrwydd y wasg: argraffu mil pum cant o'r catecism, darn o Efengyl Luc, a'r bennod gyntaf o Efengyl Luc yn y ffurf derfynol. Wrth ddiwygio, cynllun y cyfieithwyr oedd cyfarfod ddwywaith yr wythnos i baratoi gwaith i'r cysodwyr, ond cyn hyn cyflawnwyd gwaith gan bob un yn unigol, yn arbennig nodi cywiriadau. Yn aml iawn astudiwyd brawddeg, a hyd yn oed air unigol, am oriau. David Griffiths oedd goruchwyliwr y wasg, ac Edward Baker yr argraffydd.

Pan anfonodd David Jones adroddiad o'r gwaith i Gymdeithas y Beibl, mynegodd bryder am y dyfodol oherwydd marwolaeth y brenin (1828), a bod brenhines newydd ar yr orsedd. Oherwydd yr ansicrwydd dyblwyd y prysurdeb, er nad oedd hyn yn beth da, gan fod brys yn dwyn camgymeriadau yn ei sgîl. Ni fedrai dim gadw'r cenhadon o'r cyfarfodydd trafod, ddim hyd yn oed tostrwydd. Oherwydd gwaeledd David Jones trefnwyd i gyfarfod yn ei gartref ef. Cadeiriai David Griffiths, a thrafodid y materion testunol yn fanwl gyda David Johns a J. J. Freeman. Roedd David Jones yn ei wely mewn ystafell arall, ond os oedd mater o bwys i'w benderfynu, ymgynghorai'r tri ag ef, arwydd sicr o'u parch i'r cenhadwr hynaf.[25]

Rhagor o anawsterau

Wynebodd y cenhadon ar anawsterau eraill, ar wahân i farwolaeth y brenin, yn arbennig gwaeledd David Jones. Methodd orffen diwygio llyfr Genesis, ac erbyn 1830 roedd yn amlwg mai dychwelyd i Lundain oedd y peth doeth iddo. Gwnaeth hynny mewn gwendid, a galar hefyd, oherwydd claddu ei fachgen chwe blwydd oed. Parhaodd i weithio dros Gymdeithas y Beibl, a diwygio rhannau helaeth o'r Ysgrythur.[26] Colled fawr i Fadagascar oedd ymadawiad David Jones, ac roedd David Griffiths yn teimlo'r golled yn fwy na neb. Erbyn hyn roedd tyndra rhyngddo a'r cenhadon eraill, a David Jones, yr un a oedd yn gefn iddo, wedi gadael. Gŵr penderfynol oedd David Griffiths, parod, rhy barod efallai, i fasnachu gyda'r brodorion a'r fyddin. Credai'r cenhadon eraill ei fod yn gwerthu brandi, jin a chyfrwyau i swyddogion y fyddin, a'i fod yn gwerthu llechi a oedd yn eiddo i'r ysgolion.[27] Ymhlith y gwrthwynebwyr oedd J. J. Freeman, gŵr braidd yn uchel-ael. Oherwydd ei brofiad fel gweinidog yn Kidderminster roedd yn amharod i dderbyn cyfarwyddyd y Cymry, er mai ef oedd y lleiaf profiadol ym Madagascar.[28] Mae'n dda iddo adael am gyfnod, o 1829 hyd 1831. Pan ddychwelodd, ymunodd gyda David Johns, John Cameron, John Canham a George Chick yn erbyn David Griffiths. Dim ond Edward Baker oedd â chydymdeimlad â'r Cymro.[29]

Annoeth hefyd, yn nhyb y cenhadon, oedd arfer David Griffiths o fedyddio cymaint yn agored, ac yntau'n gwybod bod y frenhines, trwy ei swyddogion, yn cadw llygad barcud ar y Cristnogion. Creu ansicrwydd a drwgdybiaeth oedd ffrwyth y gweithgarwch hwn ar ran David Griffiths. Teimlai'r gwrthwynebwyr yn gryf ynglŷn â'i bresenoldeb ar yr Ynys, a dyma hysbysu'r frenhines y byddent hwy yn gadael os oedd David Griffiths yn aros. Daeth llythyr hefyd oddi wrth y cyfarwyddwyr yn Llundain yn gorchymyn i'r Cymro adael, ond apelio at y frenhines a wnaeth ef a chael caniatâd i aros am ychydig amser.[30]

Beth bynnag oedd gwendidau'r gŵr o Wynfe, nid arbedodd ei hun gyda gwaith y Gymdeithas Genhadol ym Madagascar, yn arbennig y cyfieithu a'r diwygio. Ef a gadeiriai'r cyfarfodydd yn ystod gwaeledd David Jones, ac ar ôl ei ymadawiad i Loegr. Yn gynnar yn 1830 cyfarfu David Griffiths a David Johns i astudio'r Testament Newydd argraffedig. Cytunwyd i astudio:[31]

1. Camgymeriadau
2. Geiriau'n cyflwyno syniadau anghywir a chymalau a adawyd allan
3. Y geiriau estron yn y cyfieithiad, a
4. Chymharu'r cyfieithiad a Thestament Groeg Griesbach, oherwydd dyna oedd y prif destun a ddefnyddiwyd wrth gyfieithu.

David Griffiths oedd yn gyfrifol am 1-3 a David Johns am rif 4.

Cytunwyd ymhellach i gynnwys rhestr o gywiriadau yn yr argraffiad nesaf, dodi 1 Timotheus 1:15 ar yr wyneb-ddalen a rhestr o eiriau estron ar ddiwedd y gwaith. Pa mor ddibwys bynnag oedd y cywiriadau dylid eu cynnwys mewn llyfr arbennig er budd i eraill a fyddai'n llafurio yn yr un maes.

Nid esgeuluswyd yr Hen Destament chwaith. Rhoddwyd tudalen yr un i bob un o'r cenhadon, a thudalen i bob dau o oruchwylwyr yr ysgolion. Ar ôl gorffen y rhan hon o'r gwaith danfonwyd y cyfan i David Griffiths ac Edward Baker. Eu cyfrifoldeb hwy oedd mynd dros y cwbl yn fanwl, a golygai hyn weithio hyd tua dau neu dri o'r gloch y bore. Nid oes ryfedd i'r llafur hwn yng ngolau cannwyll wanhau golwg David Griffiths.[32] Digon helbulus oedd gwaith Edward Baker hefyd. Nid oedd yr argraffwasg yn un wych iawn, crac yn un darn ohoni, a'r teip yn anwastad. Cydnabyddodd Edward Baker iddo yntau fethu trwy ddisgwyl i ddynion ddod i'w gynorthwyo yng ngwres y dydd. Aildrefnodd ei raglen a chael help llaw pan nad oedd yr haul yn anterth ei nerth.[33]

Gorffen o'r diwedd

Erbyn 1830–1 gorffennwyd y gwaith sylfaenol ar yr Hen Destament, a chyfieithwyd a diwygiwyd y rhannau oedd heb eu gwneud erbyn 1835-6.[34] Ar hyd y cyfnod rhoddwyd sylw manwl i holl agweddau'r grefft o gyfieithu. Astudiai David Jones yr ieithoedd gwreiddiol, y Ffarsi, Syrieg a'r Falagaseg. Pan gollodd amryw o'i lyfrau, oherwydd twymyn ffyrnig, danfonodd at y Gymdeithas Genhadol i ofyn am gopïau o *Arabic Dictionary* (Richardson), *Arabic Bible, Body of Divinity* Dwight, *Hebrew Concordance* Taylor, a Calmet, *Dictionary of the Bible*.[35] Bu John Richardson yn cynorthwyo'r Cymro, William Jones (1746-1794) gyda'i Ramadeg Persiaidd, a darllenai George Lewis a Thomas Charles y Bala, weithiau Augustus Calmet (1672–1757). Weithiau ymgodymwyd â phroblem ddiwinyddol. A ddylid cael priflythyren i Bersonau'r Duwdod? Un anhawster oedd amwyster rhai o'r cyfeiriadau at Grist yn yr Hen

Destament, a gallai dewis neu wrthod priflythyren fod yn anodd iawn felly. Nid oedd y cenhadon yn hapus chwaith i gyfyngu hynny i Dduw'r Tad, gan fod hynny'n bwrw amheuaeth ar Dduwdod y Mab a'r Ysbryd Glân. Gyda hyn, nid oedd gair am enaid yn y Falagaseg, a gorfodwyd y cenhadon i ddefnyddio'r gair agosaf posibl i gyfleu'r ystyr.[36]

I grynhoi, trwy lawer o rwystrau y gorffennwyd y cyfieithu a'r diwygio. Treuliwyd y cyfnod cynnar i feistroli'r iaith, collwyd gweithwyr trwy farwolaeth, bu tyndra rhwng amryw o'r cenhadon a chollwyd cefnogaeth Radama yn 1828. O'r flwyddyn honno hyd 1835 gweithiai'r cenhadon mewn ansicrwydd mawr. Gwyddent yn iawn y medrai'r frenhines, a'i hysbryd gwrth-Gristnogol, nid yn unig rwystro'r gwaith, ond hefyd eu danfon o'r Ynys. Fe ddigwyddodd hynny, ond nid yn amser y frenhines ond yn amser Duw. Cyn i hynny ddigwydd, gorffennwyd y cyfieithu. Erbyn 1836 roedd gan bobl Madagascar Feibl cyfan yn eu hiaith eu hunain.

4
Ysgol a Phulpud

*Mae ein disgyblion ieuanc gymaint eu hawydd a'u
syched am wybodaeth fel y maent oddi amgylch y tŷ bob
bore yn ymofyn am ysgol cyn codi haul.*
David Griffiths

Er bod angen gallu arbennig i gyfieithu'r Beibl nid disgyblaeth academaidd oedd y gwaith i'r cenhadon, ond cyfrwng deublyg, sef ffordd i ddysgu'r bobl a'u dwyn i adnabyddiaeth achubol o Dduw. Roedd gofyn hefyd iddynt gyfuno'r wedd hon â gwaith yr ysgol a'r crefftau. Dysgu'r Ysgrythur oedd y prif waith, a hynny'n bennaf i'r plant. Sylweddolodd y cenhadon fod yr oedolion yn hapus yn eu ffyrdd traddodiadol o fyw, a pholisi David Jones a David Griffiths oedd agor ysgolion i'r rhai iau, a medrent hwy wedyn ddylanwadu ar y cartrefi.

Sefydlu ysgolion

Canolbwyntiwyd ar yr ysgol o'r cychwyn cyntaf, yn Belle Ombre ym Mauritius, Tamatave ym Madagascar, a phan setlodd David Jones yn y brifddinas, dechreuodd ysgol yno 8 Tachwedd 1820.[1] Dyma'r ffordd orau i gyrraedd y bobl, tra gwahanol i ddull y Cymry o weithio yn Llydaw Babyddol, lle y bu'n aruthrol anodd i agor ysgolion Protestannaidd.

Yn ôl David Jones, ffynnai ei ysgol gyntaf erbyn canol 1822, a gwnaeth yn glir na fedrai dderbyn mwy na thrigain o blant iddi.[2] Ymunodd David Griffiths yn y gwaith o ddysgu'r plant, a bu ei ysgol yntau, a agorwyd yn Hydref 1821, yn llwyddiannus.[3] Cyfrannodd gwragedd y cenhadon trwy ddysgu'r merched. Yn y dyddiau cynnar dysgwyd y plant i ddarllen

Saesneg trwy ddewis pennod o'r Testament Newydd. Ar un cyfnod y seithfed bennod o lyfr yr Actau oedd y maes, ond mae'n siwr bod y canu'n apelio mwy at y plant, yn arbennig pan ddysgwyd hwy i ganu ar bedwar mesur gwahanol. Er mwyn hyfforddi'n effeithiol danfonodd David Jones at y cyfar- wyddwyr i ofyn am gopi o *Selection of Tunes* Rippon, a gofyn hefyd am lyfrau i ddysgu Mathemateg.[4]

Ar y cychwyn, addysgu plant a ddewiswyd gan y brenin a wnaed. Ym mis Mai 1821, tua un ar bymtheg oedd o dan ofal David Jones, bob un wedi ei enwi gan y brenin, er mwyn dysgu Saesneg iddynt. Yn eu plith roedd tri o fechgyn ei chwiorydd, a'r tri'n lletya yng nghartref y Cymro. Meibion i berthnasau i'r brenin oedd y lleill, a phedwar ohonynt yn medru darllen yr Ysgrythur yn y Saesneg.[5] Fel gyda'r cyfieithu roedd yn rhaid pwyso'n drwm ar gyfarwyddyd y brenin. Gydag amser, ar ôl ennill clust y brenin, mynnodd David Jones ddysgu plant o bob haen o gymdeithas a rhoi lle canolog hefyd i iaith y bobl.

Ar ôl ychydig flynyddoedd llwyddwyd i sefydlu tair ysgol yn y brifddinas, camp nid bychan i genhadon a oedd yn ym- godymu â'r iaith. Disgrifir un o'r ysgolion fel ystafell ugain troedfedd bob ffordd, a fwriadwyd i gadw llestri cegin mam y brenin. Llawr pridd oedd iddi ac eisteddai'r plant ar ychydig fatiau a oedd ar gael. Pan gynyddodd yr ysgolion roedd mwy o alw am ddefnyddiau ysgrifennu:[6]

Yn awr yr oeddym mewn mwy o angen nag erioed am lechau; ond fel dywed y ddihareb, 'Angen yw mam dyfais', yr ysgolheigion ohonynt eu hunain, ddyfeisiasant yn lle llechau, ddarnau o estyll wedi eu hiro â saim, a'u llwchu â thywod, ac a ysgrifenasant â gweyll pren ar y darnau hyn yn dra rhagorol; ond gwell oedd ganddynt gael llechau, am fod yr ysgrifen, a'r rhifnodau yn lanach ac yn eglurach.

Ym marn y brenin nid oedd eisiau tair ysgol yn y brifddinas; gwell o lawer fyddai cael un. Felly ar 11 Mawrth 1824 unwyd y tair i ffurfio'r Ysgol Frenhinol, a hynny yn yr adeilad a godwyd gan David Griffiths yn rhan ogleddol y ddinas.

Crewyd awydd dwfn yn y plant am gael eu hyfforddi. Yn ôl David Griffiths, 'Mae ein disgyblion ieuanc gymaint eu hawydd a'u syched am wybodaeth fel y maent oddi amgylch y tŷ bob bore yn ymofyn am ysgol cyn codi haul.'[7] Roedd ochr arall i'r geiniog. Nid oedd y dynion cefnog am weld colli eu plant. Llawer gwell oedd eu cadw gartref i ddiogelu buddiannau'r teulu a'r ffordd draddodiadol o fyw. Nid oedd pob rhiant yn awyddus i'r plant gael addysg, a dyfeisiwyd esgusodion dros beidio â'u danfon i'r ysgol, un rhiant yn taenu huddug dros wyneb ei blentyn, fel yr ymddangosai'n salw, a'i alw'n ffŵl. Ni fyddai neb eisiau gweld plentyn felly ymhlith plant eraill. Rhiant arall yn clymu darn o gadach am ganol ei blentyn i nodi mai caethwas oedd ef, ac nad oedd eisiau addysg ar blentyn felly. Cuddiai eraill eu plant mewn cae reis, a honni nad oedd plant ganddynt. Daeth amryw o rieini o dan ddylanwad y swynwr. Medrai ef greu ofn yn y rhieni trwy fygwth marwolaeth i unrhyw blentyn a fentrai i'r ysgol.[8]

Arholi

Ar ôl sefydlu amryw o ysgolion, trefnwyd iddynt ddod at ei gilydd i'w harholi, arfer a ddaeth yn un o nodweddion amlwg bywyd yr ysgolion. Arholwyd yr Ysgol Frenhinol 19 Ebrill 1824, pan oedd y brenin a James Hastie yn bresennol, y blaenaf i lywyddu, a'r olaf yn gyfrifol am ysgrifennu'r adroddiad, enghraifft arall o awdurdod Radama a realiti presenoldeb Prydain ym Madagascar.[9] Synnodd y brenin wrth weld y plant mor lân a thaclus, yr hyn a roddodd fodlonrwydd mawr iddo. Dyma nodweddion ysgolion Thomas Charles yng Nghymru hefyd. Ar gyfer arholi, rhannwyd y plant yn dri dosbarth. O'r dosbarth cyntaf cododd tri ar ddeg o fechgyn i ddarllen pennod 11 o lyfr Exodus a phennod 18 o lyfr y Barnwyr, yn ogystal â rhai adnodau yn eu hiaith eu hunain. Sail un o'r gwersi oedd Exodus 20, un o'r penodau pwysicaf yn rhaglen ddysgu'r ysgol. Nid llywyddu'n unig a wnaeth y brenin ond holi'r plant hefyd a rhoi gwersi iddynt, yn arbennig ynglŷn â'u hiaith eu hunain. Profwyd hwy mewn mathemateg, a'u cateceisio ar sail Catecism Dr Watts, sef Isaac Watts, yr emynydd.

Bodlonwyd y brenin yn fawr gan atebion a gwaith ysgrifenedig yr ail ddosbarth hefyd. Roedd llawysgrifen y plant yn ddestlus a'u gwybodaeth o Job 13 a Mathew 9 yn drylwyr iawn. Canmolwyd yr ateb i'r cateceisio a'r gwaith mathemategol, a hyfrydwch i'r brenin oedd ystwythder y disgyblion yn y ddwy iaith, y Saesneg a'r Falagaseg. Mae'n siwr fod mantais gan y Cymry yn y gwaith hwn, gan eu bod eu hunain yn ddwyieithog, ac wedi dysgu Saesneg o dan hyfforddiant Thomas Phillips, Neuadd-lwyd.

Nid oedd plant y trydydd dosbarth mor uchel eu safon â'r ddau arall; eto i gyd, roedd eu gwaith yn ddigon derbyniol, a'u darllen o'r Testament Newydd cystal â'r disgwyl. Trefnwyd i blant y pedwerydd dosbarth gymysgu gyda'r plant hŷn, fel y medrent, gyda'i gilydd, ddysgu am nodweddion eu cylch. Medrent gymhwyso llythrennau Rhufeinig i'w mamiaith, ysgrifennu'n gywir frawddegau a roddodd y brenin iddynt, a dangos cryn fedrusrwydd mewn mathemateg. Plant o oedran tyner oedd yn y pumed dosbarth, y rhai a fedrai ddarllen gwersi syml a sillafu ychydig eiriau, tra oedd ambell un wedi dechrau ysgrifennu ar lechi. Holwyd y rhai bychain hyn, fel y rhai hŷn, yn y Catecism.

Rhannwyd y merched yn dair adran. Yn yr adran gyntaf tebyg oedd y drefn i un dosbarth cyntaf y bechgyn, a maes yr astudiaeth oedd Mathew 27 a Genesis 24. Canmolwyd merched yr ail adran am ateb y cwestiynau mor selog a chywir. Sail eu hastudiaeth oedd gwerslyfr Murray. Fel ym mhedwerydd dosbarth y bechgyn, merched ifanc iawn oedd yn nhrydedd adran y merched. Ysgrifennu ar lechi oedd y rhan fwyaf, ond defnyddiai ambell un ohonynt bapur. Canmolwyd gwaith amyneddgar Mrs Jones a Mrs Griffiths, a mynegwyd syndod yn arbennig oherwydd safon uchel gwnïo'r merched. I orffen diwrnod yr arholiadau, canwyd emyn gan y plant yn y Falagaseg, a chyfieithwyd ef gan David Jones a David Griffiths. Ar ôl diwrnod mor ddymunol nid yw'n rhyfedd i'r brenin gryfhau ei gefnogaeth i'r cenhadon.

Gwnaeth y brenin ddefnydd effeithiol o'i awdurdod trwy alw cyfarfod o benaethiaid llwythau'r dalaith cyn cychwyn yr ŵyl flynyddol 26 Mai 1824, sef un o'r dyddiau lwcus yn ôl hynafiaid Radama. Ar ddiwrnod felly medrai apelio'n gadarn at yr arweinwyr eraill, a bu ymateb ffafriol i'w apêl i anfon plant i ysgol y cenhadon. Erbyn diwedd y mis llwyddwyd i agor deg ysgol arall yng nghyffiniau'r ddinas.[10] Ef, Radama, oedd wrth y llyw, ond yn debyg i Cyrus (Eseia 45:1), tra oedd ef yn hybu ei fuddiannau ei hunan, roedd hefyd yn cyflawni bwriadau Duw ar gyfer Madagascar.

Y cwricwlwm ac ystadegau

Yn y disgrifiad o'r cwricwlwm un math o lyfr a nodir yn gyson yw'r catecism. Dyma gyfrwng hwylus i ddysgu gan fod y cwestiynau a'r atebion yn fyr; gellid cael un ar gyfer gwahanol oedran a disgyblwyd y cof wrth ei ddefnyddio. Mantais ychwanegol ym Madagascar, lle'r oedd athrawon yn brin, oedd bod y disgyblion hŷn yn medru holi'r dosbarth. Defnyddiai'r cenhadon waith Isaac Watts, *Catechism on Scripture Names*, a lluniodd David Jones un ei hunan yn null yr awdur, a defnyddiwyd cyfieithiad Ffrangeg ym Mauritius.[11] *Catecism* John Brown oedd y gwaith poblogaidd arall, a chyfieithodd David Griffiths ef i iaith y bobl, ei addasu i'r plant, ac ychwanegu cwestiynau ar y 'Creu', y 'Ddeddf Foesol', y 'Gwaredwr' a'r 'Sefyllfa Ddyfodol'. Pan ymwelai David Jones ag ysgol holai'r plant ynglŷn â'r creu ar ddull cwestiwn ac ateb. Bu ymateb brwdfrydig i'r cateceisio oherwydd adroddwyd i nifer da o blant ddysgu Catecism John Brown ar eu cof.[12] Un ymhlith amryw gymwynasau David Johns i'r Ynys oedd cyfieithu *Taith y Pererin*, a phrisiwyd hwn yn fwy nag unrhyw lyfr, ar wahân i'r Beibl.[13] Dyma adlewyrchu'r bywyd crefyddol yng Nghymru, a'r hyn a fu'n gyfarwydd i'r cenhadon yng Ngheredigion a Chaerfyrddin.

Ar wahân i'r ysgolion Sul, dylanwadodd yr academïau ymneilltuol ar y cwricwlwm. Dyma grynodeb o'r pynciau a ddysgwyd yn y dyddiau cynnar yn Antananarivo:[14]

> We teach in the Missionary College the reading of English and native language, with grammatical lexicons, &c. in each; trigonometry, short hand, and the use of the globes. To these are added exercises in translating English into Malagash, and Malagash into English.

Ar ôl setlo cafodd y disgyblion gorau gyfle i ddysgu Groeg a Lladin, ynghyd â *Logic* Isaac Watts.

Er mwyn diogelu'r gwaith a gyflawnwyd a pharhau i hel-aethu, ffurfiwyd Cymdeithas Ysgol Genhadol Madagascar, a hynny, wrth gwrs, gyda chefnogaeth Radama. Apeliwyd am gymorth o Fauritius a Phrydain, a chyhoeddwyd gwybodaeth am y Gymdeithas yn y *Dysgedydd*, er mwyn tynnu sylw'r Cymry:[15]

1. Sefydlwyd 14 Tachwedd 1825, dan nawdd Radama
2. Bwriad: taenu egwyddorion y Grefydd Gristnogol
3. Pob tanysgrifiwr 4 doler y flwyddyn yn aelod. Cyfarfod misol
4. Bod yn gymorth i brynu llyfrau, gwobrwyon, dillad i'r noeth sy'n methu a dod i'r ysgol
5. Sefydlu llyfrgell yn y ddinas at wasanaeth y Gymdeithas
6. Canolfan i werthu gwahanol bethau a'r elw i'r Gym-deithas Genhadol

Rhydd David Griffiths fwy o fanylion am rai agweddau o'r fen-ter. Cafwyd cefnogaeth ariannol gan yr Ewropeaid ym Mada-gascar, yn Babyddion a Phrotestaniaid. Costiodd y ganolfan 850 o ddoleri, ond arian gwerth eu wario oedd hwn yn ôl y Cymro, gan ei fod yn cynnwys llyfrgell, darllenfa, ystordy ac ystafell i werthu nwyddau. O ganlyniad i ofal y cenhadon dros yr adeilad a'r arian, cyfrannwyd pedair punt a deugain i'r Gymdeithas Genhadol erbyn 1829.[16]

Beth am yr ymateb o Gymru? Siomedig oedd hwn ar y cyfan, er i ychydig fod yn ddigon brwdfrydig dros y fenter, yn enwedig Thomas Phillips, Neuadd-lwyd. Ni phallodd ei ofal dros y cenhadon a'r dystiolaeth genhadol ym Madagascar. Ysgrifennodd apêl ar ran yr Ynys, ac ef a'r eglwysi o dan ei ofal oedd ar y blaen gyda'r casgliadau. Mewn un rhestr, ei enw ef oedd wrth wyth o'r cyfraniadau:[17]

T Phillips Neuaddlwyd	£1-11-0
Eto Ysgol Sabothol	1- 6-0
Eto Cilcennin	1- 2-6
Eto Nebo	6-0
Eto Mydroilyn	8-0
Eto Llyswen Ys. Sab.	11-5
Penycae Eto	4-4
Eto Efel Ysgol Sab.	14-0

Arwyddwyd yr adroddiad gan 'D.T', sef Daniel Thomas, mwy na thebyg, gweinidog Penrhiwgaled, cyn-fyfyriwr o Ysgol Neuadd-lwyd, a'r un a dderbyniodd David Johns yn aelod eglwysig. Ef oedd yn gyfrifol am arian Penrhiwgaled, Pisgah a'r Wig.[18] Nid oerodd y tân cenhadol yn ne orllewin Cymru, ac ni phallodd y ceiniogau prin â chyrraedd y meysydd tramor.

Rhagor o ysgolion

Trefnwyd i agor ysgolion y tu allan i'r brifddinas hefyd, ymhellach yn y wlad. Cyfarfu David Jones, David Griffiths, a Radama â chynrychiolwyr pedair talaith i ystyried y lleoedd gorau i sefydlu canolfannau.[19] Ar ôl sefydlu nifer ohonynt, dewiswyd un ar bymtheg ar hugain o fechgyn i fynd i naw o bentrefi, pedwar i bob pentref, fel y medrai dau ddysgu un wythnos, a dau arall gael addysg bellach yn y brifddinas. Anfonid hwy allan ar y Llun, a dychwelent ar y Sadwrn.

Ymhen llai nag wythnos ar ôl agor yr ysgolion ymwelodd

David Jones a David Griffiths â rhai ohonynt. Aeth David Jones i'r gogledd i holi'r plant mewn tair ysgol. Fel yn y brifddinas prif sail ei holi oedd y penodau cyntaf yn llyfr Genesis. Yn un o'r ysgolion cwynodd y Cymro oherwydd y diffyg desgiau a seddau. Galwyd y bobl at ei gilydd a'u gyrru i'r goedwig i dorri coed er mwyn dodrefnu'r ysgol. I'r de yr aeth David Griffiths, ac er ei fod yn fodlon iawn ar ddatblygiad y plant yn yr ysgol gyntaf, mynegodd siom oherwydd natur yr adeilad. Atgofiodd y plant a'r bobl hŷn a ddaeth ynghyd, fod eisiau tŷ gwell, er eu lles hwy eu hunain ac er bodlonrwydd i'r brenin. Fel côr meibion o Gymru lleisiodd pawb eu parodrwydd i godi cartref cymwys i'r ysgol. Mewn pentref arall dangoswyd safle iddo lle bwriadwyd codi tŷ helaeth, os cytunai David Griffiths. Cytunodd yntau, a dechreuwyd ar y gwaith adeiladu y diwrnod wedyn.

Y Sul ar ôl dychwelyd o'r daith, bedyddiwyd plentyn David Jones gan David Griffiths yn y Falagaseg, pryd y pregethodd y tad yn yr un iaith, a David Griffiths yn y Saesneg a'r Falagaseg. Roedd y lle yn orlawn, yn cynnwys James Hastie a Radama, a gredai bod rhinwedd yn y dŵr, gan i'r plentyn dawelu wrth ei fedyddio. Pwysleisiodd David Griffiths mai symbolaidd yn unig oedd y weithred.

Gan fod ambell ysgol heb ei holi ymwelodd David Jones ag un ohonynt wythnos ar ôl ei daith gyntaf. Cafodd drafferth i gyrraedd un pentref oherwydd y gors oedd ar ymyl y lle, a daliwyd ef ynddi. Gwelodd y brodorion ef mewn trybini, ei dynnu oddi yno, a'i gario i'r pentref. Pwysodd ar yr arweinwyr i gael gwell ffordd i'r lle, a gwneud hyn yn amod ymweld â hwy eto.[20]

Lluniwyd adroddiad manwl am y flwyddyn 1825-26. Rhannwyd y dalaith yn bedair ardal, Vakanisisaony, Marouvatana, Amboudiranou ac Avaradranou, ar wahân i Vourounahery, sef y brifddinas a'r cylch cyfagos. Yn y cylch olaf hwn, roedd tair ysgol, ar wahân i'r un ganolog, a'r bellaf ohonynt chwe milltir i ffwrdd oddi wrthi. Dyma rai o'r manylion amdanynt:[21]

Place	Boys	Girls	Av. Att.	Monitors
Tananarivou	162	79	161	50
Ambouhimanarina	69	13	75	9
Ambousizatou	73	7	74	
Anjanahary		2 [gorfod cau]		

Yr un oedd y pwyslais ym mhob un o'r ysgolion, sef dysgu darllen, ysgrifennu, Rhifyddeg, a Daearyddiaeth mewn dwy ohonynt. Y rhain oedd prif leoedd David Jones a David Griffiths, ond ymwelent â'r rhan fwyaf o'r ysgolion. Ni fu galw am grefft Thomas Rowlands, a neilltuwyd ef i ofalu am ddwy ysgol, ac ymweld ag un, mewn ardaloedd eraill. Gan fod cymaint o fechgyn yn dysgu Saesneg, agorwyd llyfrgell yn y brifddinas i hybu eu darllen.

Cynyddodd a chryfhaodd yr ysgolion yn gyson:[22]

1820   1 ysgol (David Jones); cynyddu'n fuan i 3
1824   uno'r tair yn un; yn union ar ôl arholiad 1824, ffurfio 10 yng nghylch y brifddinas; 14 i gyd, c. 1,200 o blant
1828   37 o ysgolion, 44 athrawon, 2,309 o blant

Erbyn 1830 roedd yna 66 o ysgolion yng ngogledd yr Ynys gyda 1,560 o ddisgyblion yn mynychu'n rheolaidd, er bod 2,535 ar y llyfrau. Yn y de caed 31 o ysgolion gyda 2,497 o fynychwyr cyson.

Of these 2497 scholars we have a great number that have learnt the catechism, can write a fair hand, and can read the printed Scriptures with ease.[23]

Amcangyfrifir i rhwng 10,000 a 15,000 o blant dderbyn addysg yn y cyfnod o 1820 hyd 1835.

Y cenhadon, a oedd y gyfrifol am gyfieithu'r Ysgrythur, oedd yn bennaf gyfrifol am yr ysgolion hefyd. Y Gair a gyfieithwyd ganddynt oedd prif lyfr yr hyfforddiant. Nid esgeuluswyd pynciau eraill, a medrai'r disgyblion gorau ymgydnabod â'r clasuron hyd yn oed, ond y Beibl oedd llyfr y llyfrau.

Yn wir, cyfrwng efengylu oedd yr ysgol. Cadarnhawyd y pwyslais hwn trwy sefydlu perthynas glos rhwng yr ysgol a'r capel. Gwnaethpwyd yn sicr fod y plant yn y capel ar y Sul, er nad oedd hynny'n waith anodd, oherwydd gwyddai'r plant mai llyfr yr ysgol oedd llyfr y capel hefyd. Nid y llyfr yn unig oedd yn gyfarwydd iddynt, ond y cateceisio, a'r pregethu, oherwydd pregethai'r cenhadon yn y cyfarfodydd ar y cyd â'u gwaith yn yr ysgolion.

Diwrnod newydd

Un canlyniad i ddyfodiad y cenhadon i Fadagascar oedd i'r wlad, fel China, Casia ac Ynysoedd Môr y De, gael diwrnod newydd, sef y Sul. Anodd oedd argyhoeddi'r bobl o'i arwyddocâd, oherwydd nid oedd Duw iddynt hwy yn Greawdwr ac roedd neges atgyfodiad Iesu Grist yn gwbl ddieithr. Yn gyson felly pwysleisiai'r cenhadon y creu a'r atgyfodiad. Nid rhyfedd, fel yn Casia, i rai o frodorion Madagascar gymysgu'r dyddiau, a chadw'r Sul ar y Sadwrn neu'r Llun. Er mwyn pwysleisio arbenigrwydd y Sul trefnwyd y dydd yn ofalus iawn, a derbyniwyd y drefn yn rhwydd gan ddisgyblion yr ysgol, er mai cymysglyd oedd ymateb y rhai hŷn.

Er mwyn cael nifer da o bobl at ei gilydd roedd yn rhaid cael adeilad pwrpasol, ac adeiladodd David Griffiths un ynghlwm wrth ei dŷ, un helaeth, oherwydd roedd lle i fil o bobl ar y galeri.[24] Ar brydiau tyrrai'r bobl yno nes llenwi'r adeilad, a nifer fel colomennod wrth y ffenestri. Cyn diwedd 1824 amcangyfrifwyd bod pum mil o wrandawyr yn Antananarivo, gwrandawyr, nid dychweledigion. Cyflwynwyd patrwm y Sul Cymreig i'r diwrnod, ac eithrio bod mwy o ganu yng ngwasanaethau Madagascar. Gynted ag oedd yn bosibl gwnaeth y cenhadon yn siwr fod yr Ysgrythur yn iaith y bobl, y pregethu, y catecismau a'r emynau. Er bod Saesneg yn cael ei ddefnyddio, y Falagaseg oedd prif gyfrwng gweithgarwch yr ysgol a'r capel.

Dysgu ac efengylu

Dydd o lawen chwedl oedd 22 Chwefror 1824 pan bregeth-
odd David Griffiths am y tro cyntaf yn y Falagaseg, ar y testun
Exodus 20, adnodau 1-3.[25] Daeth hyd yn oed y milwyr a rhai o'r
swyddogion i'r cyfarfod, a'u swyno'n arbennig gan y canu.
Cawsant fenthyg llyfrau fel y medrent wneud copïau o'r em-
ynau eu hunain, ond nid oeddynt am wneud hynny'n syth
oherwydd mai'r Sul oedd hi. Er nad oeddynt yn Gristnogion,
parchent ddysgeidiaeth y cenhadon. Cafodd y bregeth ddylan-
wad hefyd, i'r graddau iddi aros yng nghof y swyddogion, a
medrent adrodd ei chynnwys i'r brenin. Ar y Sul pregethai'r
cenhadon ddau ar y tro, un yn Saesneg a'r llall yn y Falagaseg.
Pan ddeuai tro David Jones i bregethu'n Saesneg, gwnâi hynny
mewn Ffrangeg hefyd, er mai ychydig o Ffrancwyr oedd yn y
brifddinas. Ar wahân i hyn, holwyd y plant ddwy waith ar y
Sul. Patrwm y dydd yn ystod y blynyddoedd cynnar oedd
hwn:[26]

> We employ every Sunday as follows: From six to nine o'clock
> A.M. we teach the children to repeat hymns, the ten com-
> mandments and the Lord's Prayer &c and catechise them. At
> ten we have divine service at each other's house in turns.
> From twelve to three we have the children as in the morning.
> At six P.M. again we have divine service.

Lle bynnag roedd parodrwydd i wrando'r efengyl trefnwyd
man cyfarfod, ac os yn bosibl o gwbl byddid yn codi capel.

Cyfrwng arall i drwytho'r bobl yn yr Ysgrythur oedd yr
ysgol Sul. Mor gynnar ag 1820 sefydlodd David Jones un ym
Mauritius, ac awydd y cenhadon i gyd oedd hyrwyddo gwaith
yr ysgol hon. Gwnaeth y Cymry gyflwyno'r patrwm Cymreig,
sef trefnu dosbarthiadau i'r oedolion yn ogystal â'r plant, tra'r
plant yn unig oedd yn yr ysgol yn ôl y patrwm Seisnig. Un
o'r rhai selog oedd Edward Baker, a threfnodd i rai ddod ato
yn y bore bach, hynny yw, cyn brecwast.[27] Roedd bechgyn

Neuadd-lwyd yn ddyledus iawn i'r sefydliad hwn, a chawsant gyfle i'w hyrwyddo ym Madagascar.

Roedd ôl yr Ysgrythur, nid ar bregethu'r cenhadon yn unig, ond ar bregethu'r brodorion hefyd. Ar ôl dod i gredu'r efengyl paratowyd ambell un i'w chyhoeddi. Dwy nodwedd amlwg oedd i'r pregethu, symlrwydd a'i bwyslais beiblaidd. Arferai David Jones dderbyn cynllun pregeth oddi wrth rai o'r brodorion, er mwyn cael ei farn arni. Bydd un enghraifft yn ddigon i ganfod y nodweddion a nodwyd. Nodir y pwyntiau'n unig:[28]

Salm 84, adnod 4
1. Beth yw'r gyfatebiaeth rhwng eglwys Dduw a thŷ?
    i.   Sail i dŷ
    ii. Amrywiaeth o bobl ynddynt
    iii. Galw am lafur ac ymdrech

2. Preswylwyr y tŷ
    i.   Etholedig Duw
    ii. Y rhai a anwyd drachefn
    iii. Y rhai sy'n gogoneddu Duw

3. Gwaith y preswylwyr
    i.   Ymladd yn erbyn gelynion
    ii. Gweddïo a moliannu
    iii. Helaethu teyrnas Crist

4. Preswylwyr yn wyn eu byd
    i.   Crist yn ben iddynt
    ii. Yr Ysbryd Glân i'w dysgu a'u sancteiddio
    iii. Cael Duw'n Dad, Mab ac Ysbryd Glân
    iv. Aros yn y tŷ, cyn mynd i'r nefoedd

Cymhwysiad
Gadewch i ni holi'n hunain a ydym yn trigo yn nhŷ Dduw
Bod y gwir lawenydd i'w gael yn nhŷ Dduw
Mor ogoneddus yr ymddengys Duw ar ôl gorffen y tŷ! Salm 102:16

Mae'r cynllun yn drefnus, yn glir, yn syml ac ysgrythurol.

Os oedd y Sul yn llawn prysurdeb felly hefyd ddyddiau'r wythnos. Cyfarfod a oedd yn gyffredin i'r Sul a'r wythnos oedd y 'Questioning Meeting', pan oedd cyfle i holi, ateb a thrafod.[29] Cyfarfod llai ffurfiol oedd hwn, a chyfle i drafod ochr ymarferol y bywyd Cristnogol. Gwnaeth John Davies yn Tahiti a John Jenkins yn Llydaw hwythau ddefnydd o'r math hwn o gyfarfod. Croesawyd y caeth a'r rhydd i'r cyfarfodydd hyn, a phob un yn rhydd i ofyn cwestiwn ac ymuno yn y trafod.

Mewn un cyfarfod min hwyr, holodd un caethwas am ei ddyletswydd i'w feistr. Cwestiwn anodd oedd hwn i'r cenhadon oherwydd condemnient gaethwasiaeth yn ogystal â'r gaethfasnach, ond ni allent newid y drefn. Dim ond y llywodraeth a fedrai wneud hynny, a cheidwadol iawn oedd ei haelodau. Ateb y cenhadon oedd cyfeirio'r holwr at Effesiaid 6:5-8, lle y ceir cyfarwyddyd pendant ynglŷn ag ymddygiad caethweision. Holodd un arall am onestrwydd mewn busnes, oherwydd yr oedd twyll yn rhemp yn y maes hwn. Pwysleisiwyd bod gonestrwydd yn holl bwysig. Nid ffordd y byd oedd ffordd y Cristion. Mewn cyfarfod arall trafodwyd y ffordd orau o gyflwyno'r efengyl i swynwyr Madagascar, a chan fod swynwr a gafodd dröedigaeth yn bresennol, cafwyd ei gyfarwyddyd ef. Enillwyd ef i'r ffydd trwy garedigrwydd ac amynedd un o'r credinwyr. Oherwydd y dull hynaws hwn gorfodwyd y swynwr i feddwl am ei grefydd a gweld ei gwendidau. Arweiniwyd ef i'r gwirionedd fel y mae yn yr Iesu. Ennill y dyn oedd y ffordd i chwalu'r eilunod. Ar ddiwedd cyfarfod o'r math hwn gorffennwyd, fel arfer, trwy egluro'r efengyl a gweddïo.[30]

Roedd cyfle i drafod hyd yn oed yn ystod diwrnod gwaith. Crefftwr oedd John Canham a wyddai'n iawn am awydd ei weithwyr i wybod mwy am Gristnogaeth. Trefnodd ddau amser pendant yn ystod yr wythnos pryd y medrai'r dynion ddod â'u cwestiynau ato fel y medrai yntau eu goleuo.[31] Derbyniai nifer o gwestiynau ynglŷn â'r damhegion a'r athrawiaeth Gristnogol. Yn ystod y cyfarfodydd hyn hefyd roedd cyfle i'r credinwyr oedd yno ddwyn tystiolaeth i'w profiad o'r efengyl, a medrai un ohonynt wneud hynny gyda dychymyg byw, yn nhraddodiad John Bunyan a Christmas Evans. Hoffai'n fawr ddisgrifio'r ddwy ffordd, fel yn yr Ysgrythur, wrth gwrs, ond bod ei ffyrdd ef ym Madagascar.

Wythnos waith

Nid oedd ball, felly, ar ddiwydrwydd y cenhadon. Rhydd David Jones a David Griffiths gipolwg ar wythnos o waith.[32] Y Llun, Mawrth, Iau a Gwener dysgid y plant o 6 o'r gloch y bore hyd 8.30, ac o 2 o'r gloch y prynhawn hyd 4.30. Yn y bore'n unig roedd ysgol ar ddyddiau Mercher a Sadwrn, ond roedd ysgol gân ar nos Fercher. Trefnai David Jones ei ymweliadau â'r ysgolion yn ystod y tri diwrnod cyntaf o'r wythnos, a David Griffiths yn ystod y tri diwrnod arall. O drefnu felly gallent gael amser hefyd i gyfieithu, dau ddiwrnod fel arfer, a pharatoi ar gyfer y Sul. Treulid sawl noson, o 10 o'r gloch hyd 11, yn ysgrifennu ar bapur y cyfieithiadau a ysgrifennwyd ar lechi yn ystod y dydd. Ar y nos Lun cyntaf o'r mis cynhelid cwrdd gweddi cenhadol, ac ar ôl yr ysgol gân nos Fercher, gwrdd gweddi. Ar y Sul câi'r plant ei cateceisio cyn brecwast, oedfa addoli wedyn, ac un arall y prynhawn, neu gyfarfod i ddarllen yr ysgrythurau a gwneud sylwadau arnynt. I orffen y diwrnod cynhelid cyfarfod arall, oedfa addoli neu gwrdd gweddi'r cenhadon.

Ynghanol y prysurdeb i gyd nid oedd y cenhadon heb amser i'w holi eu hunain. Cwestiwn un ohonynt oedd, a oedd yn iawn canolbwyntio ar y plant yn hytrach na'r oedolion? Y rhieni a ddylai ddylanwadu ar y plant ac nid y plant ar y rhieni. Un arall yn amau a roddwyd gormod o amser i'r ysgolion a rhy fach i bregethu, ond rhaid cydnabod mai yn yr ysgolion y bu'r ymateb gorau. A beth am eu perthynas â'r brenin? Gofalus oedd y cenhadon ar y cychwyn, ond yn araf—ac roedd hyn yn arbennig wir am y Cymry—daethant i ddadlau buddiannau Madagascar ac nid buddiannau Prydain Fawr.[33] Rhaid eu canmol am y safiad hwn, ond ar yr un pryd roeddent yn cryfhau awdurdod canolog Imerina. Bu Radama'n garedig wrthynt, ond pan esgynnodd ei olynydd i'r orsedd defnyddiodd yr awdurdod hwn i erlid y Cristnogion.

5
Y Ffwrn a'r Ffynnon
1828–61 (1)

Roedd syched dwfn i ddeall y Gair . . . gwelodd David
Griffiths Air Duw ar waith, fel cleddyf, fel tân, fel gordd a
sebon y golchyddion . . . Ambell wythnos cynhelid cymaint â
phymtheg o gyfarfodydd mewn amryw o gapeli, i foliannu
Duw, pregethu, gweddïo a chwilio'r Ysgrythurau.

Pan fu farw Radama yn 1828, neu pan 'drodd ei gefn', yn ôl y Malagasiaid, claddwyd ef mewn rhwysg a bri. Nid arwydd o'i safle'n unig oedd ei angladd rwysgfawr, ond enghraifft glir hefyd o agwedd y bobl at farwolaeth:[1] 'Ar yr achlysur hwn lladdwyd dros 400 o ychain, pa rai a rannwyd rhwng y galarwyr; ei ddau geffyl pennaf a laddwyd, ac a gladdwyd; dau o fagnelau pres a dorrwyd; ei ddillad a'r addurniadau gwerthfawrocaf a ddodwyd yn y mŵd (*vault*) gydag ef.' Adeiladwyd tŷ ar ei fedd i gadw ei ddodrefn, trefniant a fyddai hefyd yn tawelu meddwl y brenin yn y byd arall.

Yn groes i'r disgwyl, nid Rakotobe, y tywysog a mab hynaf chwaer Radama, a esgynnodd i'r orsedd, ond Ranavalona, un o wragedd y brenin. Cipiodd ei chefnogwyr Rakotobe, ei ddwyn allan i'r wlad, a'i bicellu i farwolaeth. Pan feiddiodd pedwar o ddynion bleidio hawl y tywysog ifanc i'r orsedd, lladdwyd hwy yn y fan, o flaen y palas, lle gorweddai corff y brenin. Collodd eraill o'r teulu brenhinol eu bywydau, yn cynnwys tad y tywysog, a laddwyd yn gyhoeddus; newynwyd mam y tywysog i farwolaeth; cafodd ei fam-gu ei mygu, a lladdwyd chwe pherthynas â phicelli yn ddirgelaidd yn eu tai.[2]

Llewes o frenhines oedd ar yr orsedd, felly, yn benderfynol o gael ei ffordd ei hunan, ond, wrth reswm, roedd yn rhaid cydnabod tymor galar y brenin hyd Ebrill 1829. Teimlai'n fwy rhydd wedyn i fabwysiadu ei pholisi o gadarnhau hen ffordd y wlad o fyw a gwrthod pob dylanwad estron. Er hynny gwamalu a wnaeth yn ei hagwedd at y cenhadon, agwedd a barhaodd am rai blynyddoedd, yn wir hyd ddechrau 1835, ond hyd yn oed yn y cyfnod cynnar hwn nid oedd amheuaeth o gwbl mai draenen yn ei hystlys oedd y Cristnogion. Gorchmynnodd i David Griffiths adael yr Ynys, yna newid ei meddwl, gadael iddo aros am ychydig, ac yna gadael iddo aros yn ddiamod. Nid oedd Theophilus Atkinson a John Canham mor ffodus oherwydd danfonwyd hwy o'r wlad.

Caniataodd y frenhines i'r cenhadon bregethu a gweinyddu'r ordinhadau, ond yn sydyn gorchmynnodd iddynt beidio â'u gweinyddu. Ni chauwyd yr ysgolion, ond cwtogwyd ar eu rhyddid. Un ffordd gyfrwys o wneud hynny oedd cymryd y bechgyn gorau i gryfhau'r fyddin. Mewn byr amser cymerwyd cannoedd ohonynt. Dull arall a gymerodd y frenhines oedd gwahardd dysgu caethweision, a'r prif reswm dros wneud hyn oedd arfer amryw o rieni o brynu caethweision a'u danfon i'r ysgol yn lle eu plant eu hunain. Nid oedd lle i'r Gymdeithas Ysgolion chwaith, a wnaeth gymaint o waith da yn y brifddinas; i'r frenhines bygythiad i'w hawdurdod oedd y Gymdeithas.

1830-5: yr Ysbryd ar waith

Erbyn 1830 roedd yn amlwg bod amryw dreialon ar lwybr y cenhadon, a'u hymateb oedd dyblu diwydrwydd. Os oedd y frenhines yn cynddeiriogi, gwyddent fod gras ar gael i ddyfalbarhau, a bod ganddynt hefyd Air Duw yn gleddyf yr Ysbryd Glân. Gorffennwyd diwygio'r Testament Newydd ym 1830, a gwnaethpwyd ymdrech arbennig i'w ddosbarthu. Rhannwyd y rhif uchaf o 127 rhwng y cenhadon, yr Ewropeaid, ac ychydig i Fauritius a Llundain. Neilltuwyd 66 i'r ysgolion, a derbyniodd y milwyr, y morwyr ar yr arfordir ac amryw gaethweision, gopïau. Cofiwyd am y gwragedd a ddysgwyd i ddarllen gan eu gwŷr, a'r ychydig blant oedd yn yr ysgol Arabaidd. Er bod yr athro yno'n wrthwynebus i'r ffydd Gristnogol, cafodd pedwar o'r chwe disgybl gopi yr un. Rhoddwyd copïau i'r crefftwyr, tua phedwar ugain ohonynt, yn cynnwys y rhai oedd yn gwneud sebon o dan ofal Cameron.[3] Bu meistroli'r grefft hon yn garreg filltir bwysig i'r cenhadon, oherwydd ar orchymyn y frenhines y sefydlwyd hi. Roedd y llwyddiant yn ddigon i gymedroli ei hysbryd gwrthwynebus.

Roedd y Gair i'w ddosbarthu a'i bregethu, ac ymegnïodd David Griffiths a David Johns i'r gwaith o gyhoeddi'r newyddion da. Pregethent, nid yn unig yn y brifddinas, ond yn y wlad hefyd, heb eu harbed eu hunain o gwbl. Trefnwyd cyfarfodydd gweddi i arolygwyr ac athrawon yr ysgolion, ac ysgol nos i ddysgu'r caethweision a'r tlodion i ddarllen a deall yr Ysgrythur. Cydiodd y Gair yng nghalonnau'r bobl:[4]

> Ym mis Hydref 1830, yr oedd y capel yn llawn awr cyn amser yr addoliad, a channoedd o amgylch y ffenestri ac yn y cwrt oddeutu'r capel; rhai ohonynt wedi dyfod o'r wlad er dydd Sadwrn, o 20 i 40 milltir o ffordd i wrando gair Duw; ac yr oeddynt yn troi yn bregethwyr cyn gynted ag yr elent allan o'r addoliad: yr oedd ganddynt gof da, gafaelgar, a dawn neilltuol i adrodd yr hyn a glywsent—hwy a adroddent yn gyfain y pregethau a glywsent fisoedd o'r blaen.

Roedd syched dwfn i ddeall y Gair, amryw yn cyfarfod bob nos i'w ddarllen, eraill yn trefnu cwrdd gweddi ar nos Wener, a'r cyfan yn digwydd yn naturiol a gwirfoddol ymhlith disgyblion yr ysgol, y swyddogion a'r caethweision. Gwelodd David Griffiths Air Duw ar waith, fel cleddyf, fel tân, fel gordd a sebon y golchyddion.

Digwyddodd cynnydd yn nifer yr ymgeiswyr am aelodaeth. Ar Sul, 29 Mai 1831, derbyniodd David Griffiths ugain o aelodau o bob gradd mewn cymdeithas. Dros gyfnod o fisoedd derbyniodd bedwar i bymtheg aelod newydd bob Sul, ac mewn un mis, bymtheg ar hugain. Agorwyd capel David Johns 5 Mehefin 1831, a'r un oedd ei hanes yntau hefyd, pregethu, dysgu a chynghori'r dychweledigion. Gosodwyd pwys mawr ar yr oedfa gymundeb, er bod un anhawster; gan fod def-nyddio gwin meddwol yn groes i ddeddf y wlad, gwasgwyd y grawnwin ac ychwanegu dŵr fel nad oedd yn feddwol.[5]

Calondid eithriadol i'r cenhadon oedd ffurfio dwy eglwys frodorol, un yn Ambodin Andohalo, 6 Awst 1831, ac mewn dau fis cynyddodd yr aelodaeth o dri deg saith i drigain a saith. Yn Ambatonakanga roedd y llall, a ffurfiwyd 12 Mehefin 1831. Ar wahân i gyfarfodydd y Sul, cynhaliai'r aelodau gyfarfodydd gweddi o dŷ i dŷ. Ar ôl deng mlynedd o hau, a hynny'n aml mewn dagrau, gwelwyd yr ysgubau'n llenwi'r ysgubor. Cydnabyddai'r cenhadon yn barod iawn mai gwaith yr Ysbryd Glân oedd hwn, a chafwyd prawf pellach o hyn yn ystod 1834. Ambell wythnos cynhelid cymaint â phymtheg o gyfar-fodydd mewn wythnos mewn amryw o gapeli, i foliannu Duw, pregethu, gweddïo a chwilio'r Ysgrythurau. Yn ystod yr un flwyddyn derbyniwyd dau gant o'r newydd i'r eglwysi yn y brifddinas yn unig.[6]

Mawr oedd gofal y bugeiliaid dros eu praidd. Cadarnhawyd yr ŵyn trwy eu harwain i borfeydd gwelltog yr Ysgrythur. Ymddangosodd y Testament diwygiedig yn 1830, cyfieithwyd rhannau helaeth o'r Hen Destament, ac yn 1834 daeth argraff-iad o bum mil o'r Salmau o'r wasg.[7] Cyn hyn dim ond un o bob ugain a fedrai gael Testament Newydd neu ddarn o'r Ysg-rythur, ond yn awr medrai'r cyfartaledd fod yn llawer uwch. Llifodd y tractau a'r darnau o'r Ysgrythur o'r wasg, wedi eu rhwymo mewn papur caled, 2,200 o dract Canham ar y *Sabath*; 2,000 o dract Freeman ar *Oberlin*; 4.500 o lyfr sillafu; 2,000 o dract David Johns, *Gwir Gyfoeth*; 1,000 o gatecismau, a Llyfr y Diarhebion, a'r bwriad oedd ychwanegu Llyfr y Pregethwr ato.[8] Ar wahân i'r catecism a'r Ysgrythur, roedd galw mawr am y llyfr sillafu. Ar ddiwedd un cyfarfod cyfarfu deugain o bobl â J. J. Freeman yn begian am gopi er mwyn gwella eu darllen a'u hysgrifennu.[9]

Tra oedd y Cristnogion yn derbyn gwell dealltwriaeth o Air Duw, ei gamliwio a wnâi'r gwrthwynebwyr. Hysbyswyd y frenhines bod un cryfach na'r cryf arfog i ddod, a chredodd hithau bod ei gorsedd mewn perygl. Gellid beio Duw'r Cristnogion hefyd am fethiant a thostrwydd, ac annog y bobl i droi'n ôl at y duwiau.

Mwy difrifol fyth oedd problem o fewn yr eglwys. Fel arfer y mae efrau'r gelyn ymhlith gwenith Duw, a phrofwyd hyn ym Madagascar. Ceidwad un o eilunod y llywodraeth oedd Rainitsiandavaka, a brofodd sawl profedigaeth yn ei deulu.[10] Yn ei ofid ymwelodd â phentref Paul y swynwr, a oedd erbyn hyn yn Gristion, a phan eglurodd hwnnw'r efengyl i geidwad yr eilunod, gwnaeth broffes o ffydd yng Nghrist. Ni fedrai ddarllen, a gwrthododd bob cymorth i wneud hynny, oherwydd credai'n bendant bod Duw'n siarad ag ef trwy freuddwydion a phrofiadau personol. Cerddai'n ffyddlon o bentref i bentref, ac o dŷ i dŷ, i gyhoeddi ei neges. Dau beth yn arbennig a boenai'r Cristnogion, sef dibyniaeth Rainitsiandavaka ar arweiniad goddrychol, a'i ymgais i gyfuno Cristnogaeth ag agweddau o grefydd y wlad, yn cynnwys y Kiady, y gred bod eilun yn sicrhau cysegredigrwydd lle, ac felly'n cadw ymyrwyr draw. Mae'r ddeubeth hyn, goddrychedd a syncretiaeth, yn medru peryglu tystiolaeth yr eglwys mewn unrhyw gyfnod.

Cafodd Rainitsiandavaka ganiatâd i ymweld â'r frenhines oherwydd bod ganddo neges iddi. Cyhoeddodd ei bod i deyrnasu dros y byd, bod y meirw i godi ac na fyddai'r byw farw. Holwyd ef a'i ddilynwyr yn drwyadl ynglŷn â'u cred bod pawb yn ddisgynyddion Adda ac Efa. Ni fedrai'r frenhines ddioddef y fath syniad, ac arswydai wrth feddwl y gallai hi a'i phobl fod yn perthyn i'r Mozambiciaid, druain, dros y môr yn Affrica. Dyma fwrw sen ar bobl Madagascar, a dyma reswm digonol i roi taw ar Rainitsiandavaka a'i ddilynwyr.

Gorchmynnodd y frenhines roi'r arweinydd a thri o'i ddilyn-wyr i farwolaeth. Clymwyd eu cegau fel na fedrent siarad, a'u harwain i ogledd y brifddinas, lle claddwyd hwy'n fyw mewn cae reis, a thaflu dŵr berwedig drostynt. Profwyd deg a thrigain trwy'r *tangena*, a llusgwyd dau ar bymtheg ohonynt ar hyd y ffordd nes ei gorchuddio â gwaed. Gwerthwyd y lleill yn gaethweision. [11]

1835-40: cyfnod o erlid

Os oedd y sect newydd yn niwsans, beth am y cannoedd o Gristnogion oedd yn y wlad erbyn hyn? Dylid delio â hwy unwaith ac am byth. Yr wythnos olaf yn Chwefror 1835 cas-glwyd y ffaglau yn barod i gynnau'r tân. Gorchmynnodd y frenhines i'r gwniadwragedd ddod i'r llys i wnïo ar ddydd Sul, gan wybod yn iawn mai eu dymuniad oedd bod yn y capel, ac aeth hithau i'r wlad i saethu teirw. Y Sul hwnnw roedd y capeli'n llawn, a'r addolwyr yn synhwyro bod dyddiau drwg gerllaw. Pregethodd David Griffiths ar Mathew 16:26 yn y bore, a'i destun yn yr hwyr oedd Hosea 14:9, un yn sôn am golli popeth a chadw enaid, a'r llall yn sôn am yr Arglwydd yn cadw'r union yn ei ffyrdd, ond bod y troseddwyr yn tram-gwyddo ynddynt.[12]

Ar y dydd Mawrth gwnaeth swyddogion y frenhines restru'r capeli a'r tai a ddefnyddiwyd i addoli, ynghyd ag enwau'r rhai a fedyddiwyd. Pan ddarllenwyd y rhestr iddi drannoeth, cynhyrfodd o'i chorun i'w sawdl o sylweddoli bod nifer yr enwau mor lluosog. Apeliodd ambell swyddog am ofal wrth ymwneud â'r Cristnogion, ond ni thyciai hynny gyda'r frenhines. Cynhaliodd y Cristnogion oedfa brynhawn Iau, pan bregethodd un o'r brodorion ar y testun, 'Cadw ni, darfu amdanom' (Mathew 8:25)[13]. Yr un prynhawn galwyd yr Ewropeaid at ei gilydd i dŷ David Griffiths i dderbyn neges oddi wrth y frenhines. Nid oedd lle i bawb yno ac aethpwyd i'r capel. Yn eironig iawn, yno, o bob man, y mynegwyd bwriadau Ranavalona ar gyfer y Cristnogion. Darllenwyd y llythyr gan

Ratsimanisa, un o gynffonwyr y frenhines, a hysbysodd yr Ewropeaid y gallent aros ar yr Ynys, ar yr amod na newidient arferion y bobl. Caniatawyd rhyddid i ddysgu pynciau o fudd ond nid oedd rhyddid i ddysgu pynciau'r ffydd Gristnogol. Dilewyd yr hawl i addoli a gweinyddu'r sacramentau.

Gwawriodd Sul, 1 Mawrth 1835, dydd y cyfarfod cyhoeddus ('kabary'), i gyhoeddi polisi'r frenhines. Mae'n siwr mai nid meddwl am Ddewi Sant a wnaeth y Cymry y diwrnod hwnnw, ond gweddïo'n daerach nag erioed o'r blaen ar Dduw y nawdd sant, oherwydd yno yr oeddynt fel ŵyn ymysg bleiddiaid. Daeth pedwar ugain mil at ei gilydd ar dir agored gyferbyn â'r capel. Eglurwyd yn fwy manwl fwriadau'r llywodraeth, a rhoi mis i'r Cristnogion brodorol gyffesu eu bai a chael maddeuant. Cadarnhawyd y cyhoeddiad gan Rainiharo, prif swyddog y fyddin. Rhybuddiodd bawb bod mis yn golygu mis, a bod y 'can mil', sef y fyddin, wrth law i ddinistrio pob gwrthwynebiad.[14]

Yn awr y profi ni pheidiodd y credinwyr â chwrdd i weddïo. Cytunodd grŵp bychan i gwrdd ar hanner nos am wythnos er mwyn deisyf arweiniad a nerth Duw. Cyfarfu ychydig o wragedd crediniol mewn gofid oherwydd bod eu gwŷr wedi mynd i'w cyhuddo eu hunain, hynny yw, i gyffesu cyn bod neb yn eu cyhuddo. Tra'n rhannu eu profiad, ymunodd crediniwr arall â'r gwragedd, a darllen Salm 46 iddynt, nes llonni calon y cwmni a'u galluogi i weddïo'n hyderus.[15] Cwrdd yn y dirgel a wnaeth nifer da o grwpiau yn syth ar ôl 1 Mawrth, yn benderfynol o herio Ranavalona.

Gan fod y Cristnogion yn gosod pwys ar ddarllen, yn arbennig ar ddarllen yr Ysgrythur, galwodd y frenhines ar bawb a dderbyniodd lyfrau oddi wrth yr Ewropeaid i'w dychwelyd i fan penodedig. Rhybuddiwyd pawb mai marwolaeth a fyddai'n dilyn anufudd-dod.[16] Casglwyd y llyfrau o leoedd mor bell a thri chan milltir o'r brifddinas, ac wedi gorffen y gwaith dewiswyd pedwar o ddynion i'w harchwilio. Chwiliwyd hyd yn oed am eiriau a fyddai'n ffiaidd i'r swyddogion a'u meistres, a'r rhai amlwg oedd 'Iesu', 'Jehofah', 'atgyfodiad' a 'tywyllwch'. Nid y swyddogion yn unig oedd yn brysur gyda'r llyfrau ond y llygod hefyd, ond ni fedrent hwy, hyd yn oed, orchfygu Ranavalona, a gosododd gathod yn yr adeilad ac o'i gwmpas. Cawsant hwythau eu gwala a'u gweddill o gig ar draul y llys brenhinol.[17]

Claddu Beiblau

Ni chyrhaeddodd bob llyfr i'r man penodedig. Yn ôl David Griffiths cuddiodd y credinwyr brodorol amryw o Feiblau, a rhannau o'r Ysgrythur mewn cistiau a'u claddu o dan y tai. Pryd bynnag yr oedd cyfle darllenent yr Ysgrythur yn y dirgel. Dosbarthwyd copïau llawysgrif o *Taith y Pererin*, David Johns, a llwyddodd y cenhadon i gladdu saith deg o Feiblau, amryw Destamentau, catecismau a llyfrau emynau.[18] Gofid calon i'r credinwyr oedd methu canu emynau, er bod y gân o hyd yn y galon. Mewn ardal fel Vonizongo, a oedd gryn bellter o'r brifddinas, medrai'r credinwyr fod yn fwy beiddgar. Ni wnaeth nifer fawr ohonynt ddychwelyd eu llyfrau, a gwnaeth pob un ohonynt gadw o leiaf ddarn o'r Ysgrythur. Trefnodd un grŵp o ddeg i guddio'r tractau a'r Ysgrythurau mewn ogof yn agos i fynwent, lle annhebygol i'r awdurdodau ymweld ag ef.[19]

Byr fu arhosiad y cenhadon ar ôl 1 Mawrth 1835. Gadawodd J. J. Freeman a James Cameron ym mis Mehefin a David Griffiths a'i deulu ym mis Medi, ond arhosodd Edward Baker i orffen argraffu'r Hen Destament a *Geiriadur*, cyn croesi i Fauritius ym Medi 1836. Gadawyd y credinwyr brodorol felly i ymladd y frwydr heb gymorth y cenhadon, ond dysgwyd y Cristnogion yn dda, ac nid dros dro oedd y fendith a brofwyd o 1830 hyd 1835. Roedd bendithion y ffynnon y blynyddoedd hynny wedi eu paratoi ar gyfer y ffwrn oedd o'u blaen.

O blith y cannoedd o wroniaid a fu'n ffyddlon i'w ffydd mae'n rhaid dewis dau neu dri i sôn amdanynt. Roedd Paul y swynwr a Rasalama ymhlith cwmni o ugain a garcharwyd, a'u dodi o dan ofal y prif swyddogion.[20] Twyllwyd Rasalama i ddatgelu enwau rhai o'i chyd-gredinwyr. Pan fynegodd ofid calon oherwydd hynny, gosodwyd hi mewn cadwynau a'i churo, ond ni siglwyd ei ffydd, a dechreuodd ganu rhai o'i hoff emynau. Tynhawyd y cadwynau oedd amdani, nes tynnu'r traed, y pengliniau, y dwylo a'r gwddf at ei gilydd. Cyhoeddwyd y ddedfryd o farwolaeth arni. Wrth gerdded i'w thynged, mewn poen dirdynnol, aeth heibio i'r capel lle y bu David Griffiths yn gweinidogaethu, a gwaeddodd y carcharor, 'Yno y clywais eiriau'r Gwaredwr.' Pan ddaeth y foment iddi farw, penliniodd a gweddïodd, cyn i'r milwyr ei phicellu yn ei hochr a'i chalon. Ystyr yr enw Rasalama yw 'slama', heddwch, 'iechyd', 'hapusrwydd', gyda'r rhagddodiad 'Ra'. Rhyddhawyd hi o'i chystudd i fwynhau heddwch, iechyd a hapusrwydd tragwyddol.

Mwy rhyfeddol fyth yw hanes Rafaravavy.[21] Daeth hi'n Gristion cyn dechrau'r erlid ffyrnig. Prynodd dŷ yn y brifddinas i gynnal gwasanaethau a daeth hi, a Paul y swynwr, yn arweinwyr ymhlith y credinwyr brodorol. Cafodd gymorth parod gan David Johns a'i wraig, Mary, cyn iddynt hwy groesi i Fauritius. Ar ôl y cyhuddiad cyntaf, gan ei gweision, rhyddhawyd hi, ond cafodd ddirwy o hanner gwerth ei bywyd a'i heiddo, a danfonodd David Johns ddeuddeg doler i'w chynorthwyo. Parhaodd y credinwyr o'r wlad a'r brifddinas i gyfarfod yn ddirgelaidd yn ei thŷ, ond roedd mewn perygl bob awr o'r dydd, a'i theulu ei hun, hyd yn oed, yn barod i'w chyhuddo. Mynegir ei ffydd mewn llythyr a ddanfonodd at David Johns yn Tamatave, a fentrodd yno am ychydig o Fauritius. Cymhwysodd eiriau Mair iddi ei hun, oherwydd mabwysiadodd yr enw Mary, 'Y mae fy enaid yn mawrhau'r Arglwydd'.[22] Sicrhaodd hi David Johns na fu ei waith yn ofer yn yr Arglwydd. Cynyddu roedd nifer y credinwyr a'r Duw mawr o'u plaid.

Un arall a fu'n help llaw i David Johns i gynorthwyo'r dioddefwyr oedd y Dr Powell, yn wreiddiol o Gwm Tawe, a'i dad yn byw yn Falcon Square, Llundain.[23] Roedd y mab yn

deithiwr, masnachwr a meddyg hefyd, oherwydd cafodd gan-
iatâd Ranavalona i gyrchu moddion o Fauritius er mwyn
lleddfu'r dwymyn ym Madagascar, a'r frenhines ei hun yn un
o'r dioddefwyr. Ym mis Mehefin 1838 croesodd Dr Powell a
David Johns i Damatave. Aeth Powell yn ei flaen i'r brifddinas
at y frenhines, ond arhosodd David Johns yn Tamatave.

Fföedigaeth y chwech

Yn Antananarivo cyfarfu Dr Powell ag amryw o'r credinwyr,
eu cysuro a rhannu'r 120 doler a gafodd gan David Johns cyn
gadael Tamatave. Mewn cyd-ddealltwriaeth â David Johns,
trefnodd i chwech ohonynt ddianc i Fauritius ac yna i Lundain.
Dyma dasg anodd oherwydd yr oeddynt o dan lygad barcud y
frenhines a rhai ohonynt mewn cadwynau, yn cynnwys
Rafaravavy (Mary). Y lleill oedd Razafy (Sarah, gwraig Paul),
Ratsarahomba (David), Andrianomanana (Simeon), Rasoa-
maka (Joseff), ac Andrianisa (James), a ymunodd â hwy yn ddi-
weddarach. Bu Joseff, Simeon a David am gyfnod yng ngwas-
anaeth y teyrn, Rainiharo, gŵr a ymhyfrydai mewn creulondeb.
Cadwyd Rafaravavy mewn cadwynau, ond amhosibl oedd
clymu ei thafod, a daliodd afael ar bob cyfle i sôn am ei
Gwaredwr wrth ei herlidwyr.

Rhyddhawyd Rafaravavy a chafodd gyfle eto i gwrdd â'i
chyd-gredinwyr. Pan glywodd am ladd Rafaralahy, Cristion
gloyw, penderfynodd hi a phedwar arall ffoi o'r brifddinas.
Roedd yr amser yn rhagluniaethol, oherwydd y diwrnod
wedyn daeth swyddogion y frenhines i gyrchu Rafaravavy er
mwyn ei rhoi i farwolaeth.[24] Neilltuodd Joseff, Simeon a David
i'r coedwig am rai wythnosau, a chuddiwyd Rafaravavy mewn
pentref diarffordd. Cysgai gyda ffrind yn ystod y nos a chuddio
yn y creigiau yn ystod y dydd.

Darganfuwyd cuddfan Rafaravavy ond rhybuddiwyd hi
mewn pryd o ddyfodiad y milwyr. Ffodd hi a Sarah at ffrind-
iau. Erbyn hyn roedd y milwyr yn rhuthro o bentref i bentref i
chwilio amdanynt, fel cŵn yn hela anifail. Gorfodwyd y ddwy

i ffoi eto, a chuddio mewn pydew, cae reis, ogof a mynwent.[25] Wrth deithio mewn cors, gofid Rafaravavy oedd i'r Beibl a gariai ar ei chefn, gael ei ddifwyno gan y dŵr a'r llaid.[26] Cawsant loches mwy diogel am dri mis pan godod ffrind o Gristion babell mewn gwair uchel, gan rybuddio pawb i beidio â mynd yno oherwydd mai eiddo preifat oedd y lle. Ar wahân i'r gorffwys, y fendith fawr arall oedd cael bwyd cyson. Cawsant guddio am ychydig wythnosau wedyn yng nghartref chwaer y ffrind, a chlywsant bod David Johns yn Tamatave. Cytunwyd i anfon Andrianilaina a ffrind iddo i bwyso ar y Cymro i aros yno mor hir ag oedd yn bosibl.

Y ffordd orau i ddianc i'r arfordir oedd dychwelyd i'r brifddinas a chychwyn oddi yno. Llwyddwyd i wneud hyn am fod Andrianilaina a Sarah wedi eu gwisgo mewn gwyn, fel meistr a'i wraig, a Rafaravavy mewn dillad cyffredin fel morwyn iddynt. Aeth Andrianilaina a'i ffrind ymlaen i Damatave, a'u croesawu yno gan Mr Berbyer, cyfaill i'r Cristnogion, a David Johns. Gwnaeth y ddau y trefniadau angenrheidiol i'r chwe Cristion groesi i Fauritius, a hyd yn oed talu'r capten ymlaen llaw. Gweithredu mewn ffydd yr oeddynt oherwydd nid oedd Rafaravavy wedi cyrraedd eto, James heb ymuno â'r cwmni, a Joseff, David a Simeon yn dal mewn cwt yn y goedwig, i'r dwyrain o Ambatomanga. Am wythnosau lawer porthwyd hwy â reis a gariwyd gan ffrind iddynt bron hanner can milltir i ffwrdd. Pan ddaeth y cyflenwad hwn i ben gorfodwyd hwy i chwilio am lysiau a gwreiddiau i'w cynnal. Ar ben eu tennyn mentrodd y Cristnogion i'r brifddinas. Eu bwriad oedd dychwelyd i'w cuddfan ar ôl cael bwyd a dillad, ac felly claddwyd eu Beiblau a'u bwyeill yn y ddaear. Ar ôl cyrraedd y brifddinas clywsant bod Rafaravavy a'i ffrind yno, a bod David Johns yn Tamatave. Dychwelodd y ffrind a aeth gyda Andrianilaina gyda'r newydd bod y trefniadau i groesi i Fauritius wedi eu cwblhau.

Cyfarfu Rafaravavy, Sarah, David, Simeon a Joseph i drefnu'r daith i Damatave, a chytunodd dau was eu harwain, un ar

y pen blaen a'r llall o'r tu ôl. Os oedd perygl o'r tu blaen sib-
rydai'r gwas, 'Brysiwch', os o'r tu ôl, 'Arhoswch ennyd'.[27] Wrth
symud yn ofalus o le i le cysurai'r ffoaduriaid ei gilydd trwy
ddyfynnu adnodau o'r Ysgrythur. Ambell noson tywalltai'r
glaw arnynt, a hwythau heb gysgod o gwbl. Problem arall oedd
croesi afon llawn o grocodiliaid. Ffolineb oedd ceisio nofio, ac
nid oedd cwch ganddynt. Croeswyd un afon yn rhagluniaethol
iawn. Newydd groesi oedd cwmni o filwyr, a chredodd ceid-
wad y bâd mai eu gweision hwy oedd y Cristnogion, a'u clud-
o'n ddiogel i'r ochr arall.

Pan ddaeth yr arfodir i'r golwg gwisgwyd Sarah fel gwraig
i swyddog yn y fyddin, a Rafaravavy mewn dillad cyffredin fel
ei morwyn, ac felly cuddiwyd rhan helaeth o'i hwyneb. Roedd
hyn bymtheg noson ar ôl gadael y brifddinas, ac er iddynt gael
tŷ gwag yn gysgod unwaith neu ddwy, roeddent mor wan, a'u
traed wedi chwyddo cymaint, fel y bu'n rhaid iddynt eu llusgo
eu hunain i olwg yr arfordir. Danfonwyd y gweision i'r ddinas
i weld a oedd y trefniadau'n iawn ac a oedd Mr Berbyer yno i'w
cyfarwyddo. Pan sicrhawyd y cwmni bod popeth yn iawn,
mentrwyd i dŷ Berbyer, ac yna i'r llong. Angorwyd ym
Mauritius 14 Hydref 1838.[28] Yno i'w croesawu roedd David
Johns, Edward Baker a David Jones, a oedd newydd ddych-
welyd o Brydain, yn aros am gyfle i groesi i Fadagascar.
Cludwyd y chwech i Lundain, lle cawsant ofal bugeiliol J. J.
Freeman, a chafodd y ddwy wraig ofal personol Mary, gwraig
David Johns. Ar ôl cyfnod o bedair blynedd, pump a ddych-
welodd i Fauritius, oherwydd bu un farw yn Llundain.
Cyrhaeddodd Rafaravavy, yn llawen fel y lleill, ond cymysg-
wyd y llawenydd a thristwch o glywed am greulondeb yr
erlid.[29]

Aros am gyfle i groesi i Fadagascar roedd David Jones, ond
nid oedd yn segur ym Mauritius. Ar wahân i ddysgu mewn un
ysgol roedd dwy arall o dan ei ofal. Ymunodd a Le Brun i
bregethu ar y Sul ac yn ystod yr wythnos, trwy gyfrwng y
Saesneg a'r Ffrangeg. Yn yr ysgoldai gosodwyd Testamentau ar

ddesgiau y rhai a fedrai ddarllen, a sicrhawyd cyflenwad o lenyddiaeth gymwys.[30] Hysbysodd Edward Baker y cyfarwyddwyr yn Llundain bod tua 1,000 o Gatecismau Watts yn Ffrangeg wedi dod o'r wasg ar gyfer yr ysgol Sul.[31] Ni sychodd ffynhonnell Cymdeithas y Beibl, ac ar un achlysur danfonwyd 1,000 o Destamentau, 500 o'r Salmau a 500 o lyfr Genesis. Dro arall danfonwyd 1,000 o Destamentau a 1,000 yr un o Efengyl Luc a'r Actau.[32] Rhannodd David Jones y copïau'n ofalus, yn arbennig yn yr ysgolion, a rhoi deg Testament Ffrangeg i'r disgyblion gorau fel gwobrwyon am eu gwaith.[33]

Tra oedd David Jones yn disgwyl am gyfle i groesi i Fadagascar, trefnodd gyflenwad o Ysgrythurau ar gyfer y credinwyr yno. Gan fod arfordir y gogledd orllewin ymhell o'r brifddinas danfonodd barsel o Destamentau a Salmau i'r rhan honno o'r wlad. Danfonwyd rhai copïau wedi eu cuddio mewn bocs moddion. Mewn bocs arall cuddiwyd 12 Testament Newydd, 12 Salmau a 12 yr un o Genesis, Diarhebion, Pregethwr ac Eseia a 18 o *Taith y Pererin*. Cyrhaeddodd y bocs hwn yn ddiogel i'r brifddinas, a rhannwyd y cwbl o fewn dau ddiwrnod.[34]

Roedd David Johns a'r Dr Powell ym Mauritius. Yn 1838 ymunodd David Jones â hwy, a'r un flwyddyn cafodd David Griffiths ganiatâd i ddychwelyd i Fadagascar, nid fel cenhadwr, ond fel masnachwr.[35] Cyrhaeddodd ef, a'i fab Ebeneser, Tamatave 17 Awst 1838. Ar eu ffordd i'r brifddinas cyfarfu'r ddau â'r Dr Powell, a oedd ar ei ffordd gyda'r moddion i'r frenhines, ac yn trefnu, gyda David Johns, i anfon y chwe chrediniwr i Fauritius.

Rhagor o ddioddef

Pan gyrhaeddodd David Griffiths y brifddinas, daeth y Cristnogion ato liw nos, yn eu dagrau, i adrodd am helynt y dioddefwyr. Medrodd yntau, a'r Dr Powell, eu cynorthwyo trwy rannu reis ac arian iddynt. Ymhlith y credinwyr roedd Raminhay, a fu'n gofalu am un o blant David Griffiths yn ystod y cyfnod cyn 1 Mawrth 1835, a hefyd Obadeia'r pendefig duwiol a selog, a guddiodd ddeunaw o gredinwyr o dan ei dŷ am gyfnod o bedwar mis ar ddeg.[36] Cyfarfu David Griffiths a grwpiau o Gristnogion yn y dirgel, a deuent hwythau ag adnodau penodol i'r Cymro er mwyn cael esboniad arnynt.

Tua diwedd Tachwedd 1838, daliwyd Joshua (Ramanisa), ac wyth arall yn darllen yr Ysgrythur a gweddïo. Carcharwyd hwy er mwyn ystyried eu tynged, ond llwyddodd pob un ohonynt ddianc, ac ymuno â chwmni o saith oedd ar ffo. Gwyddai David Griffiths am eu cyflwr ond nid oedd arian ganddo i'w cynorthwyo, a hefyd roedd angen ar ei deulu yng Nghymru. Daeth y Dr Powell i'r adwy a rhoi'r arian angenrheidiol, ond nid oedd hyn yn lleihau'r perygl i'r Cristnogion. Weithiau, mentrwyd eu cuddio yn nhŷ David Griffiths neu Dr Powell, ond peryglu bywydau'r credinwyr yn fwy a wnâi hyn. Am fisoedd lawer bu'r ffoaduriaid yn cuddio mewn coedwig a thyllau yn y ddaear, a sylweddolodd David Griffiths a Dr Powell mai'r peth gorau oedd anfon yr un ar bymtheg i Damatave, yn y gobaith y medrent groesi i Fauritius.[37]

Er bod David Griffiths yn awyddus i'r dioddefwyr fynd i Damatave, nid oedd am iddynt fynd yn y gaeaf, ac felly gohiriwyd y daith hyd Gwanwyn 1840. Dychwelodd Powell i Damatave i ddisgwyl am y cwmni. Gadawodd yr un ar bymtheg y brifddinas, yn ddau ac yn ddau, 23 Mai 1840, wedi eu harfogi a llusernau, blancedi, papur ac inc ac ychydig Ysgrythurau. Teithient yn ystod y nos a chysgu yn ystod y dydd. Wrth agosáu at le o'r enw Beforona, twyllwyd hwy gan yr arweinydd. Aeth ef ar y blaen a hysbysu'r awdurdodau bod y ffoaduriaid ar y ffordd. Dim ond ar ôl cyrraedd yno y deallodd y credinwyr iddynt gael eu twyllo.[38]

Yn Beforona gosodwyd y credinwyr o dan warchae nes cael cyfle i'w holi'n fanwl. Digwyddodd hyn y seithfed o Fehefin, am dridiau wedyn, ac ar y deuddegfed. Ar y pymthegfed cyrhaeddodd y Capten Campbell a David Jones, a dywedwyd wrthynt mai cwmni o ladron oedd yn cael eu holi. Pen draw'r holi oedd anfon y cyhuddiedig yn ôl i'r brifddinas. Naw milltir oddi yno llwyddodd un ohonynt ddianc. Ar ôl cyrraedd digwyddodd y sesiwn cyntaf o holi ym muarth teirw Andrianaine. Pan ymddangosodd yntau, yn cario ei waywffon arian, gosododd bob un o'r credinwyr ar wahân, fel na fedrent glywed atebion ei gilydd. Erbyn 2 Gorffennaf cyrhaeddodd y Capten Campbell a David Jones, felly ni holwyd y carcharorion o gwbl, dim ond eu cadw yn y dirgel rhag ofn i'r ymwelwyr eu gweld. Yn ystod yr amser hwnnw llwyddodd un ohonynt i ddatod y rhaff oedd amdano â'i ddannedd, agor y ffenestr yn dawel, a ffoi tra oedd y gwylwyr yn cysgu. Cafodd loches yn y wlad gan ffrindiau.[39]

Gan fod David Griffiths yn y brifddinas hefyd, anfonodd y frenhines swyddogion i'w holi am y credinwyr yn gyffredinol a'r ffoaduriaid yn benodol. Gwnaeth yntau ei orau i beidio â datgelu gormod o wybodaeth i'r awdurdodau. Nid oedd eisiau llawer o wybodaeth ar y frenhines mewn gwirionedd, oherwydd cyhoeddodd ddedfryd o farwolaeth ar un ar ddeg o'r credinwyr, er mai dim ond naw oedd yn y carchar. Cyhoeddwyd y 'kabary', y cyfarfod cyhoeddus i hysbysu'r wlad o'r ddedfryd. Cynhaliwyd ef ar dir agored o dan dŷ David Griffiths. Dechreuodd y bobl ymgynnull am naw o'r gloch y bore, ac ymhen ychydig oriau chwyddodd y dyrfa i oddeutu trigain mil. Raimimaharo, yr arch-gyhuddwr, a gyhoeddodd ddedfryd y frenhines ar y rhai a feiddiodd weddïo ar eu Duw a cheisio dianc o'r wlad. Safai Ebeneser, mab David Griffiths, ar fur wrth ochr y ffordd i weld y gweithrediadau, tra oedd David Griffiths ei hun a'r Capten Campbell ar ben y tŷ lle'r arhosent.

Clywai'r ddau ar y to floeddio'r dyrfa, a gwyddent fod y carcharorion yn nesáu. Daeth Ebeneser, â'i wynt yn ei ddwrn a'r dagrau ar ei ruddiau, i gadarnhau hynny. Roedd golwg druenus ar y caethion, ond er mewn gwendid mawr, gallent weddïo, a thywynnai haul gras Duw yn eu hwynebau. Pan edrychodd David Griffiths ar wyneb Josua, disgleiriai fel angel. Cariwyd pob un o'r naw ar bolyn, bron yn noeth, nes gorfodi'r naw i guddio rhan o'r corff â'u dwylo. Pan oedd yr orymdaith bron â diflannu o'r golwg, aeth David Griffiths i adrodd yr hanes wrth David Jones.

Cariwyd y naw i le'r lladdfa, ar orllewin y brifddinas. Pan bicellwyd y credinwyr glynodd y bicell yng nghorff Josua, ac ar ôl ei drywanu torrwyd pen Paul a'i osod ar bolyn. Un arall o'r cwmni oedd Raminhay, nyrs un o blant David Griffiths, a chyn marw tystiolaethodd i ras ei Harglwydd. Gadawyd eu cyrff yn fwyd i'r adar ond dychwelodd eu heneidiau at eu Creawdwr. Llifodd y bobl i fod yn llygad-dystion o'r marwolaethau erchyll, gydag amryw yn bloeddio, 'Pa le y mae Duw y gwynion yn awr?' Nid oedd amheuaeth gan y naw pa le roedd ei Duw. Roedd yno yn y ffwrn dân. Felly, fel y dywedodd David Griffiths, y pregethwyd naw o'r pregethau mwyaf huawdl yn hanes Madagascar.[40]

Y Beibl a Thaith y Pererin

I'r naw hyn, yr un ar bymtheg, y chwech a ddihangodd i Lundain, a'r credinwyr yn gyffredinol, Gair Duw oedd eu cynhaliaeth yn ystod yr erlid. Dyma'r ffynnon i'w disychedu a'u hadfywio. Wele ddarn o lythyr a ddanfonwyd at David Griffiths, ei fab ac L. Powell, o ymguddle, 21 Awst 1839:[41]

Diolch i chwi am eich gofal mawr amdanom, am eich cynghorion gwerthfawr, am y llyfrau [a anfonodd David Jones at David Griffiths trwy Berbyer], yr arian, y mantelli, a'r cyfferi yr ydych yn anfon i ni beunydd, Math. 5:7, Eseia 32:8. Yr ydym yn cael llawer o ddiddanwch i'n meddyliau wrth fyfyrio ar yr adnodau yn Gen. 32:10,11. Exod. 15:23-25, Deut. 7:17-23, Numeri 23: 19, 1 Sam. 15:29, Malachi 3:6, Rhuf. 11:29, Iago 1:17, Titus 1:, Salm 142, Nehem. 1:5,6, 2 Cron. 6:40 a Dan. 9:17-20, O! gweddïwch drosom, Iago 5:16, Y mae Obadiah yn hynod o ofalus am danom. O, rhyfedd mor dda yw yr Arglwydd i ni! Byddwch wych a dedwydd, medd Andriantsalama, Josuah a Paul, a'n cydymdeithion yn cyd-gario'r groes.

Ailadroddwyd digwyddiadau amser Daniel a Nehemeia ar lwyfan hanes Madagascar, a daeth termau fel 'etholedigaeth', 'rhagluniaeth' a 'gras' yn wirioneddau grymus yn eu profiad.

Y llyfr arall a anweswyd gan y credinwyr oedd *Taith y Pererin*. Anfonodd ychydig Gristnogion lythyr at J. J. Freeman a David Johns, a chyn diwedd y llythyr hysbyswyd hwy am newyddion da: 'We have received the Pilgrim's Progress. O, what joy the reception of it has given us!, we are indeed, *delighted*'.[42] Os oedd ffydd yn gwegian, un ffordd i'w chadarnhau oedd cofio am Cristion yn wynebu Apolion. Arfogwyd Cristion i frwydro, ond nid oedd arfogaeth i'w gefn; felly o gefnu fe ellid cael ergyd farwol.[43] Pan oedd yr un ar bymtheg ar ffo, 'Ni a ymdrechasom i gysuro a chynghori ein gilydd, ac ymddiddan am deithiau Cristion a Ffyddlon (y sonnir amdanynt yn *Nhaith y Pererin*), pan yn myned trwy Ffair oferedd'.[44] Bu David Johns a John Bunyan yn fwyd a diod i gredinwyr Madagascar fel y bu Stephen Hughes a John Bunyan yn gynhaliaeth i Gristnogion Cymru.

6
Y Ffwrn a'r Ffynnon
1828-1861 (2)

*Pan oedd Herod yn erlid roedd Duw'n bendithio; pan
oedd yr awdurdodau yn gwasgu'r credinwyr,
roeddent hwy yn gwasgaru'r efengyl.*

Oherwydd ei gymorth i'r credinwyr ni fedrai David Griff-
iths osgoi fflangell y frenhines. Roedd yn euog o ddwyn ei
phobl oddi arni, un o'r camweddau mwyaf posibl yng ngolwg
Ranavalona. Ar 22 Gorffennaf 1840 cafodd wybod ei dedfryd,
sef talu ugain doler am ei fywyd, deg doler ar hugain i'r
cyhuddwyr, dau can doler o ddirwy, a'i orchymyn i adael yr
Ynys am byth. Gostyngwyd yr ail swm i'r hanner a thynnu
trydedd ran o'r trydydd swm. Cafodd gyfle hefyd i gasglu ei
ddyledion, ond ni dderbyniodd ddim am yr hyn a wariodd ar
y capel. Gadawodd ef, a'i fab, y pedwerydd o Awst, cyrraedd
Tamatave ar yr 16 Awst, llwyddo i gael llong ar y diwrnod olaf
o'r mis, a hwylio am Fauritius y diwrnod cyntaf o Fedi.[1]

Mauritius a Madagascar, 1841-3

Er na fedrai David Griffiths ddychwelyd i Fadagascar yn ag-
ored, mentrodd wneud hynny yn ddirgelaidd. Croesodd i'r
Ynys ddwy waith yn ystod 1841. Pan ddychwelodd ar ôl y
daith gyntaf cyfarfu â David Johns a David Jones, a oedd yn
wael yn ei wely, a phan ddaeth yn ôl yr ail waith i Fauritius
clywodd am farwolaeth David Jones ym mis Mai 1841. Ychydig
fisoedd y bu David Griffiths ym Mauritius, oherwydd gada-
wodd 4 Tachwedd 1841, ond nid heb fod mewn helbul unwaith
eto. Nid oedd y ffaith bod chwe Chymro yno am gyfnod yn

ddigon i'w tynnu at ei gilydd. Nid oedd llawer o Gymraeg rhyngddynt a chodwyd hen grach unwaith yn rhagor. Mwy fyth oedd y tyndra os oedd Edward Baker a'i wraig, a Le Brun yn bresennol. [2]

Cyhuddai David Johns David Griffiths o hawlio arian a dalwyd iddo eisoes yn 1835, a gofyn am arian ar gam am daith i Fadagascar. Credai David Griffiths bod ei gyd-Gymro'n ffŵl, a bod ei wraig a gwraig Edward Baker yn ddwy wraig ddrygionus. I Edward Baker nid oedd Mrs Johns ond 'A plain Welsh woman'. Closiai Le Brun at David Griffiths a'r ddau'n argyhoeddedig fod Edward Baker—Mr Siaradus yn *Nhaith y Pererin*, yn ôl ei feirniaid—yn eu camliwio yng ngolwg Kelsey, un o'r cyfarwyddwyr yn Llundain. Dau arall a oedd yn dal ym Mauritius oedd y Dr Powell, a oedd yn gweithio yn ysbyty Grand River, a Berbyer, a setlodd ar yr Ynys fel siopwr. Ochrai'r ddau gyda David Griffiths.

Erbyn hyn roedd nifer o gredinwyr Malagasaidd ym Mauritius, yn cynnwys Rafaravavy. Cydweithiai hi'n hapus â Mary Johns, yn ymweld â'r bobl a'u dysgu. Gyda diolchgarwch yr adroddodd y Gymraes ei hanes am gyfnod yn ystod 1842. Soniodd am weinyddu'r cymundeb yn iaith y Malagasiaid am y tro cyntaf, 'y Sabbath diwethaf', sef yn gynnar ym mis Ebrill 1842. Un o'r rhai a gymerodd rhan oedd James, un o'r chwech a ddihangodd yn 1840, a phregethodd David Johns. Bob nos Fawrth pregethai Le Brun, gweinidog sefydlog y capel, yn ysgoldy'r Malagasiaid.

Dyma grynodeb o'r hyn a ddywedodd Mary Johns am ddau ddiwrnod arall:[3]

20 Ebrill. Mae Rafaravavy yn parhau i ymweld â'r Malagasiaid, gan ddarllen a gweddïo; ond ei dymuniad mwyaf ydyw, cael mynd drosodd i Madagascar gyda Mr Johns.

22 Ebrill. Yr oedd gennym gyfarfod yn nhŷ un o'r Malagasiaid, a buasai yn hyfrydwch gan ein cyfeillion yn Lloegr ein gweld . . . Yr oedd yno fath o orchudd ar y llawr wedi ei

wneud o'r matiau gwlân o Madagascar, y bwrdd wedi ei orchuddio a lliain main, a dwy gostrel yn ganwyllbrennau. Yr oedd y tŷ wedi ei rannu yn ddau, a phob rhan yn llawn, a llawer yn gorfod aros oddi allan. Heblaw Mr Le Brun, Mr Johns, a'r ymnoddwyr [ffoaduriaid], yr oedd dros drigain o'r Malagasiaid a'u plant yn bresennol. Cyfarchodd Mr Le Brun hwy yn serchoglawn, gan roddi hanes byr o greadigaeth y byd, cwymp dyn, gwaredigaeth trwy Grist &c. Anerchwyd gorsedd gras, a chanwyd hymn yn y Ffrangeg. Gwedi hynny anerchwyd hwy gan Mr Johns yn iaith y Malagasiaid, a diweddwyd trwy ganu hymn yn iaith y Malagasiaid.

Ar wahân i Rafaravavy, bu David yn dysgu hefyd am gyfnod, cyn mynd i weithio gydag Edward Baker yn yr argraffdy, a chynorthwyai Joseff gyda'r gwaith yn Nosimitsia. Cafodd James gyfle i fod yn gyfieithydd i Syr John Marshall ar y llong ryfel *Isis*. Ym Mauritius y sylweddolwyd eu breuddwyd am gymdeithas ac addysg Gristnogol, ac nid ym Madagascar.

Teithiau olaf David Johns

Croesodd David Johns sawl gwaith i Fadagascar a'r ynysoedd cyfagos. Fel arfer canolbwyntiai ar y gorllewin, yn hytrach na'r dwyrain, yn groes i farn Edward Baker a ddadleuai dros fynd i ddwyrain yr Ynys. Er bod Tamatave yn y dwyrain yn agosach, credai David Johns bod mynd yno yn rhy beryglus oherwydd gafael y frenhines ar y darn hwnnw o'r wlad, a hefyd, nid oedd pob pennaeth yn y gorllewin yn gefnogol i Ranavalona.

Yn ystod un daith ymwelodd ag ynys Nosibe, yn y gogledd pell, lle'r oedd ysgol o ddeugain o blant yn cael eu dysgu ar sail yr orgraff Ffrengig a gymeradwywyd gan offeiriad Pabyddol.[4] Daliodd y Cymro afael ar y cyfle i ddangos rhagoriaeth ei ddull ef a'r cenhadon eraill o ddelio â'r iaith. Yn Vohimarina cyfarfu â rhai o'i gyn-ddisgyblion, a'u dyhead pennaf oedd cael copi o'r

Testament Newydd, ond dim ond dau neu dri oedd ganddo, ac ychydig gopïau o *Taith y Pererin*, a rhannodd hwy ymhlith y credinwyr.[5]

Ar daith arall hwyliodd David Johns, Andrianilaina a mab i bennaeth, i ynys gogyfer â Nosibe. Cawsant groeso brwd, yn arbennig mab y pennaeth, oherwydd fel arwydd o'u parch iddo gorweddodd rhai o'r gwragedd ar ei lwybr fel y medrai gerdded drostynt. Golchasant ei draed a'u sychu â'u gwallt. Ar ôl prynu cyflenwad o reis hwyliodd David Johns a'i gwmni i Ibaly (neu Boyanna Bay). Ymwelwyd â sawl pennaeth, y cyntaf yn groesawgar, a holai am gyfarfod gair Duw ('kabary zana-hary'), ac roedd yr ail hefyd yn hynod groesawgar. Pennaeth oedd ef ar dri i bedwar cant o bobl a ffodd o'r brifddinas ar far-wolaeth Radama. Cerddwyd milltiroedd blinedig i weld pen-naeth arall, ond roedd yn werth yr ymdrech oherwydd bu'r cwmni'n trafod yr efengyl am oriau lawer hyd hanner nos. Siom, er hynny, oedd methu dod o hyd i ffoaduriaid oedd wedi gadael y brifddinas, a gofid calon oedd cael y newydd am far-wolaeth Caleb, un o wroniaid 1840.[6]

Paratowyd i ddychwelyd i Fauritius, ond daliwyd David Johns gan y dwymyn a bu rhaid oedi ychydig. Yn union ar ôl cychwyn ar y daith, aethpwyd heibio i Makella, ond nid arhosodd y llong yno oherwydd lle oedd hwnnw a orfodwyd gan y pennaeth i dderbyn Mohametaniaeth. Dyma nesáu eto at Ibaly, ac yn y bae yno roedd llong o Bortiwgal ac arni naw cant o gaethweision o Mozambique, ond yn sydyn ymddangosodd llong Brydeinig, a diflannodd y llong arall o'r bae. Dros ugain mlynedd ar ôl cytundeb 1820, roedd y fasnach yn dal i ffynnu mewn amryw o borthladdoedd Madagascar, a phobl Mozam-bique yn arbennig yn dioddef o'r herwydd.

Atgyfnerthodd David Johns yn fuan ar ôl dychwelyd i Fauritius, a threfnodd daith arall i Fadagascar a'r ynysoedd, yng nghwmni dau was. Hwyliodd y llong ym mis Mehefin 1843, a thra oedd y Cymro ar ynys Nosibe gafaelodd y dwymyn ynddo unwaith eto, a'r tro hwn nid oedd ymwared, a bu farw 6 Awst 1843. Dychwelodd ei weddw, Mary, a'r plant, i Lundain a chyrraedd yno 4 Mai 1844.[7]

Cymru a Madagascar, 1843-61

Cafodd David Jones a David Johns fedd yr un ym maes eu cenhadaeth, ond dychwelodd David Griffiths i Gymru. Y peth cyntaf a wnaeth ar ôl cyrraedd oedd chwilio am gyfle i wasanaethu, a chafodd hwnnw yn y Gelli Gandryll, Brycheiniog, lle'r oedd amryw o Annibynwyr gwasgaredig. Casglodd hwy at ei gilydd, yn neuadd y dref i gychwyn, a phan brofwyd mesur o fendith adeiladwyd capel a thŷ i'r gweinidog yn 1846, a gostiodd fil o bunnau.[8] Nid oedd hyn yn ormod o fynydd i David Griffiths, ac fel masnachwr profiadol a chenhadwr selog, casglodd yr arian i gyd ar ei deithiau yng Nghymru a Lloegr.

Teithiai David Griffiths hefyd i ennyn diddordeb y Cymry ym Madagascar, ac yn ystod un flwyddyn cynhaliodd hanner cant a chwech o gyfarfodydd yn siroedd Morgannwg a Chaerfyrddin.[9] Ffordd arall o wasanaethu'r Ynys oedd diwygio'r Testament Newydd Malagaseg, a dechreuodd ar y gwaith yn syth ar ôl cyrraedd o Fauritius. Danfonodd esiamplau o'r diwygio i'r cyfarwyddwyr yn Llundain,[10] a chytunodd y Gymdeithas Genhadol, mewn cytundeb â Chymdeithas y Beibl, i'r Cymro a J. J. Freeman, un o'i gyd-weithwyr ym Madagascar, fod yn gyfrifol am y gwaith. Bu Freeman farw yn 1851 a gadawyd David Griffiths i ysgwyddo'r baich ei hunan. Cyflwynodd y gwaith a wnaeth ef a Freeman i Gymdeithas y Beibl, a threfnwyd i'r Parch. T. W. Meller, Woodbridge, swydd Suffolk, arolygu'r gwaith. Ef oedd y gŵr a fu'n cynorthwyo cenhadon Casia gyda'r dasg o gyfieithu, yn arbennig William Lewis.

Nid oedd llawysgrifen David Griffiths yn ddestlus iawn, a chyflogwyd copïwr a'i dalu bedair ceiniog y tudalen.[11] Hwylusodd hyn y gwaith a bu llythyr oddi wrth William Ellis o Fadagascar yn sbardun pellach i brysuro'r gwaith. Cafodd ef ganiatâd i ymweld â'r Ynys, a soniodd am y dyhead dwfn yn y credinwyr brodorol am Air ysgrifenedig Duw. Cyn diwedd 1853 argraffwyd y tair Efengyl, ac Efengyl Ioan hyd ddiwedd y bedwaredd bennod.[12] Sylweddolodd David Griffiths na fyddai ychydig fisoedd yn Woodbridge yn ddigon i gyflawni'r dasg, a threfnodd i'w deulu ddod ato.[13] Mae'n siwr ei fod yn fwy tawel ei feddwl yn awr, a chysur pellach oedd gair da Cymdeithas y Beibl i'w waith, ac arwydd clir o'i gwerthfawrogiad oedd y rhodd o £200 i'r Gymdeithas Genhadol.[14]

Yn un o'i adroddiadau hysbysodd David Griffiths y cyfar-wyddwyr ei fod yn gweithio'n ddyfal. Treuliai dair neu bedair awr bob dydd gyda T. W. Meller i ystyried ei awgrymiadau a'i gywiriadau. Ar ôl gwneud hyn roedd yn rhaid diwygio eto, nes bod diwrnod yn ymestyn i bymtheg awr. Weithiau, hawliai wyth tudalen o broflenni dair awr y dydd am bron wythnos o amser. Nid rhyfedd, felly, i'w iechyd ddioddef.[15] Daeth y rhan hyd y Llythyr at y Galatiaid o'r wasg ganol 1854, yr adran hyd Epistol Iago yn ddiweddarach yn y flwyddyn, a gorffennwyd y cyfan o'r Testament Newydd yn 1855.[16]

Hyd yn oed cyn gorffen y Testament Newydd bu'r ddau ddiwygiwr yn cywiro'r Hen Destament hefyd. Erbyn mis Mawrth 1854 diwygiwyd y Salmau, Llyfr y Pregethwr, Eseia, Caniad Solomon, rhan o Jeremeia a rhan o Lyfr Exodus.[17] Yn ystod 1856 bu David Griffiths yn ddifrifol wael, eto'n ffyddiog y medrai orffen popeth erbyn 1857. Neilltuodd Cymdeithas y Beibl £150 i'w gefnogi, a chredai David Griffiths mai swm blynyddol oedd hwn, a siom oedd deall mai dyma'r swm terfynol.[18] Erbyn diwedd 1857 argraffwyd hyd ddiwedd y ddegfed bennod o Lyfr y Barnwyr, a T. W. Meller yn edrych dros yr adran o 1 Samuel hyd ddiwedd Llyfr Job.[19] Er bod y gwaith yn mynd yn ei flaen, nid oedd argoel o gwbl y byddai'r erlid yn tawelu ym Madagascar, ac felly penderfynodd Cymdeithas y Beibl ddwyn y gwaith i ben. Talwyd £20 o dreul-iau i David Griffiths. [20]

Yn 1857 symudodd David Griffiths a'i deulu i Fachynlleth,

Maldwyn, a setlo yn yr eglwys Annibynnol yno, mam eglwys ei briod. Bu brenhines Madagascar farw yn 1861, a blwyddyn yn ddiweddarach gofynnodd Cymdeithas y Beibl i David Griffiths a Sauerwein ailgydio yn y gwaith. Cytunodd y Cymro ond bu farw yn 1863 cyn dechrau ar y dasg. Bu ei weddw farw mewn gwth o oedran, wedi colli ei gŵr a rhai o'r plant, yn cynnwys Margaret, gwraig Griffith John, Abertawe, cenhadwr y Gymdeithas Genhadol yn China am hanner cant a chwech o flynyddoedd. Ganwyd hi ym Madagascar, gwasanaethodd yn China, a bu farw yn Singapore wrth ddychwelyd i'w maes ar ôl bod am seibiant yng Nghymru.

Cyn ei farw bu David Griffiths yn brysur yn paratoi llenyddiaeth ar gyfer y wasg: Catecism Westminster gyda phrofion ysgrythurol; 12 o bregethau ac anerchiadau; 41 o wersi ar yr Hen Destament gan Mr Trimmel; Cyfieithiad o 12 o bregethau ar ddioddefiadau Crist ar sail Eseia 53; a Llyfr Rhifyddeg.[21]

Rhagor o erlid

Parhawyd gwaith yr arloeswyr gan y credinwyr ym Mauritius, ac erbyn hyn roedd amryw o Gristnogion Madagascar wedi setlo yno, eraill yn teithio yn ôl ac ymlaen o'r Ynys. Darparwyd ar gyfer anghenion y Malagasiaid yn y capel a'r ysgol, a hynny trwy gyfrwng y Falagaseg a'r Ffrangeg. Teimlwyd yn ddwys ynglŷn â chyflwr y teuluoedd yno, oherwydd bod naw o bob deg genedigaeth yn digwydd y tu allan i briodas.[22]

Ymhlith y Malagasiaid ym Mauritius roedd Rafaravavy, un o'r cwmni a fu yn Llundain, a chyfaill y Cymry cynnar ym Madagascar. Danfonodd lythyrau i Lundain yn adrodd hynt y credinwyr, a chyfieithwyd rhai ohonynt i'w cynnwys yn y cylchgronau Cymraeg. Dyma ddolen gyswllt werthfawr yn ystod y cyfnod anodd hwn. Mewn un llythyr mynegi syndod a wnaeth oherwydd rhagluniaeth Duw, a'i allu i gyflawni ei fwriadau yn ei ffordd ef ei hun, fel y gwnaeth yn amser Josua, pan yrrodd allan y ddau frenin trwy anfon y cacwn, heb gleddyf a bwa dynol (Josua 24:12). Cofiodd hefyd am eiriau Jeremeia, 'Oblegid mi a wn y meddyliau yr wyf fi yn eu meddwl amdanoch chwi, medd yr Arglwydd, meddyliau heddwch ac nid niwed, i roddi i chwi y diwedd yr ydych chwi yn ei ddisgwyl' (Jer. 29:11). Daliai credinwyr Madagascar i anfon ati a'i sicrhau bod Duw yn eu bendithio, bod ei law ar bregethwr ifanc yn eu plith, a'u bod yn cyfarfod ar ddyddiau Mercher, Sadwrn a'r Sul.[23]

Danfonodd cwmni bychan o gredinwyr air at Edward Baker. Mae'n amlwg na phallodd eu hawch am ddarllen:[24]

Llonwyd ni yn fawr trwy dderbyn yr Efengylwyr a Thaith y Pererin, ac yr oeddym yn dra awyddus i gael Beiblau; canys gellir yn hawdd eu cuddio. Nid yw y rhai a anfonwyd yn ddigon i ni, canys trwy fendith Duw yr ydym yn llawer iawn. Mae y Tywysog ieuanc wedi derbyn y gair gyda gwir serchowgrwydd a llawenydd, ac heb amheu dim.

Yn ôl y llythyrau torrodd ton o erledigaeth unwaith eto ym Madagascar. Daliwyd un ar hugain o Gristnogion, ond apeliwyd ar eu rhan gan y tywysog, a lliniarodd hyn lid y frenhines.

Erlid 1849

Ffrwydrodd dialedd y frenhines unwaith eto yn 1849. Dinistriwyd adeiladau a ddefnyddiwyd gan y Cristnogion, rhwymwyd un cwmni o un ar ddeg a dedfrydwyd cwmni arall o ddeunaw i farwolaeth, a Ranivo, merch ieuanc un ar bymtheg mlwydd oed, yn eu plith. Llosgwyd pedwar ohonynt yn syth, ac arweiniwyd y lleill i'w marwolaeth, eu dodi mewn matiau a'u hyrddio dros glogwyn serth.[25] Yr unig un a arbedwyd oedd Ranivo, am ei bod, yn nhyb y teulu, yn wallgof, ond yr oedd y frenhines yn hoff ohoni hefyd. Fel y merthyron eraill, gweddïo a chanu oedd cynhaliaeth ysbrydol merthyron 1849 hefyd. Byrdwn eu cân oedd, 'Mynd adre' at Dduw yr ydym':[26]

> Pan y delo awr ymddatod
> Ac ymado â'r ddaear hon,
> Ychwanega ein llawenydd,

Cymer ni i'r nefoedd lon;
Yno molwn
Yn dragywydd ger dy fron.

Amcangyfrifir i ddwy fil o gredinwyr gael eu holi yn ystod y flwyddyn hon. Diswyddwyd Ramanja, cefnder y tywysog, a'i wneud yn filwr cyffredin, a phan ddeuai ei dro ar wyliadwriaeth y nos gorfodwyd ef i wisgo dillad tenau.

Ar brydiau deuai plwc o garedigrwydd dros y frenhines nes peri iddi rhoi caniatâd i genhadwr ymweld â'r Ynys am amser penodol. Cafodd William Ellis y fraint dair gwaith, yn 1853, 1854 a 1856.[27] Yn ystod ei ail ymweliad cyfarfu ag Andriambelo, a glywodd yr efengyl gyntaf yn 1847. Yn araf daeth i ddeall yr efengyl, a dod i brofiad personol o ras Duw. Yn annoeth, efallai, cyfarfu ef a rhai credinwyr eraill yn ystod y dydd gan ffugio bod mewn gwledd swnllyd.[28] Yn rhagluniaethol roedd yn dal yn fyw ar ôl y ddrycin yn 1849.

Cyfieithwyd un o adroddiadau William Ellis i'r Gymraeg. Nid oedd pall ar yr enghreifftiau o ffydd a dyfalbarhad a welodd yn Tamatave, a'r rhai a adroddwyd am y Cristnogion mewn mannau eraill o'r Ynys. Mentrodd cwmni bychan yn Foule Point ffurfio eglwys, trwytho eu plant yn y ffydd a diogelu rhannau o'r Ysgrythur. Cyfarfu William Ellis ag un crediniwr a dreuliodd flynyddoedd yn copïo darnau o'r Beibl i'r brodyr oedd heb Ysgrythur o gwbl. Bu wrthi mor hir yn gweithio yn y dirgel nes i'w iechyd ddioddef ac amharwyd ar eu lygaid. Roedd cynnwys yr Ysgrythur ar flaen bysedd y credinwyr ac adnod wrth law bob amser beth bynnag a fyddai'r angen; 'Ac yr ydym yn chwilio yr Ysgrythurau sanctaidd ddydd a nos - y maent yn sefydlu ein calonau, hyd yn nod er i ddynion ein gwawdio, a dywedyd yn ddrwg amdanom. Darllenwch Math. 5:11,12; 2 Cor. 4:15,17; Math.10:22'.[29]

Erlid 1857

Bu peth llonyddu ar yr erlid am rai blynyddoedd, ond rhaid nodi'r flwyddyn 1857. Cafodd y frenhines gyfle i ddial ar y

Cristnogion, a phawb a'i gwrthwynebai, pan wnaeth Ffrancwr o'r enw M. Lambert, a'i ddilynwyr, geisio diorseddu'r frenhines. Credodd hi bod y Cristnogion yn rhan o'r cynllwyn. Nid oedd hyn yn wir yn gyffredinol er i rai unigolion gymryd rhan. Arllwysodd ei digofaint ar eu gwrthwynebwyr, a ffodd miloedd o'r trigolion i'r goedwig i wynebu newyn a marwolaeth. Daliwyd amryw o gredinwyr a'u cosbi. Llabyddiwyd pedwar ar ddeg o Gristnogion, eu dienyddio ac arddangos eu pennau ar bolion. Digwyddodd yr un peth yn union i dri arall yn ddiweddarach. Rhwymwyd wyth ar hugain, draed a gwddf, wrth ei gilydd. Danfonwyd hwy i ran o'r Ynys lle'r oedd y dwymyn yn drwm, a bu ambell un farw ar y ffordd. Pan ddigwyddai hynny roedd yn rhaid torri'r pen i ffwrdd er mwyn rhyddhau'r corff, ac felly roedd mwy o gadwynau gan y nesaf ato i'w gario.[30]

Erlid 1857 oedd rhuad olaf y llewes. Erbyn hynny roedd miloedd o gredinwyr wedi dioddef. Rhoddwyd dau gant o leiaf i farwolaeth, a bu oddeutu mil farw oherwydd afiechyd a newyn. Eto i gyd, amcangyfrifir bod saith mil o Gristnogion ym Madagascar pan fu farw'r frenhines yn 1861. Dim ond deng mlynedd ar hugain cyn hynny y sefydlodd David Griffiths yr eglwys gyntaf ym Madagascar. Ailadroddwyd digwyddiadau Llyfr yr Actau ar lwyfan hanes yr Ynys. Pan oedd Herod yn erlid roedd Duw'n bendithio, pan oedd yr awdurdodau yn gwasgu'r credinwyr, roeddent hwy yn gwasgaru'r efengyl; a phan oedd y cleddyf yn lladd roedd yr Ysbryd yn bywhau. Gwelwyd mawrion weithredoedd Duw yn Jerwsalem ac Effesus, a hefyd yn Antananarivo a Tamatave. Ym Madagascar, fel yn China heddiw, gwthiwyd yr eglwys o dan ddaear, ond ofer yw pob ymgais felly, mor ofer â chladdu'r Atgyfodiad ei hunan.

JONES

GRIFFITHS

JOHNS

FREEMAN

THE FATHERS AND FOUNDERS OF THE MADAGASCAR MISSION

Y cenhadon Cymreig cyntaf ym Madagascar

Thomas Bevan.
Bu farw ym
Madagascar
31 Ionawr 1819

Mary Bevan.
Bu farw ym Madagascar
3 Chwefror 1819

Lluniau trwy garedigrwydd School of Oriental and African Studies, Llundain

Capel Neuadd-lwyd, ger Aberaeron

Adfail Ysgol Neuadd-lwyd

Y capel cyntaf ym Madagascar, a godwyd ar draul David Griffiths (c. 1824)

ER COF AM
David Griffiths,
GENHADWR YNYS FAWR MADAGASCAR
AM UN MLYNEDD AR HUGAIN.
DYN DEWR IAWN A MAWR EI ABERTH, OLL AR RAN YR EFENGYL
GANWYD YN CLANMEILWGH, CWYNFE.
RHAGFYR 28. 1792.
BU FARW YM MAGHYNLLETH
MAWRTH 21. 1863.
A GHLADDWYD EF YNO.
"Cwyn ei fyd heddiw."
DDYNION A MERCHED GWEITHIWCH YN EGNIOL A DYFAL DROS Y
CENHADAETH DRAMOR, NEU EWCH I'R MAES CENHADOL.

Coflech yng nghapel Jerusalem, Gwynfe
Llun gan Mavis Cullen, Llanddeusant

Beddau ar fin y ffordd

Thomas Rowlands
(1852-1921)

Elizabeth Rowlands
(1853-1916)

Capel gwledig yn nhalaith Betsileo

Fianarantsoa, un o drefi talaith Betsileo

Robert Griffith (1873–1941)

Faravohitra, 'Eglwys y Plant', un o eglwysi coffa Antananarivo

7
Clywed y Llef Unwaith Eto

'Oni bai ein bod yn Gymry ac yn fwy cyfarwydd â bywyd
caled na'r Saeson, buasai yn wir yn ddrwg arnom.'
Thomas Rowlands

Arwynebol oedd proffes Gristnogol Rabotondradama, mab y frenhines, a'i holynydd yn 1861, yn dwyn y teitl Radama yr Ail. Croesawyd ei deyrnasiad gan y Cristnogion oherwydd roedd rhyddid i addoli yn y wlad unwaith eto, ond roedd gwrthwynebiad ffyrnig iddo mewn rhannau o'r Ynys. Aeth William Ellis yn ôl yno yn 1861 i drefnu agor pedair eglwys i gychwyn, ac yna un yn ddiweddarach. Y pedair oedd, Ambatonakanga, ar safle'r capel a ddefnyddiwyd i garcharu'r Cristnogion; Ambohipotsy, y man lle y merthyrwyd Rasalama, y bu David Johns yn gymorth iddi; Ampamarinana, lle'r hyrddiwyd Cristnogion i'w marwolaeth yn 1849; Faravohitra, lle y llosgwyd i farwolaeth bedwar o arwyr y ffydd, ac yn ddiweddarach Findanana, man marw merthyron 1857. 'Eglwys y plant' oedd yr olaf hon, oherwydd codwyd hi gan geiniogau plant ysgolion Sul Prydain. Ymunodd James Sibree a James Cameron â William Ellis i hyrwyddo'r gwaith.[1]

Cynyddodd y gwrthwynebiad i Radama yr Ail, ac ymhen dwy flynedd tagwyd ef i farwolaeth. Olynwyd ef gan ei weddw, ond arwynebol oedd ei phroffes hithau hefyd, a'i chred yn yr eilunod yn gryfach na'i ffydd yng Nghrist. Digwyddodd y newid mawr yn 1868 pan esgynnodd Ranavalona yr Ail i'r orsedd. Bu'r frenhines yn un o ysgolion y cenhadon, credodd yr efengyl yn ystod cyfnod yr erlid, ac nid oedd ofn arni o gwbl i dderbyn gwaradwydd oherwydd ei phroffes. Disgwylid i

97

lywodraethwr newydd godi palas ychwanegol, a gwnaeth Ranavalona hynny, ond cododd gapel hefyd. Cyhoeddodd bod rhyddid i'r Cristnogion i addoli, llosgwyd yr eilunod cened-laethol, a blwyddyn ar ôl ei choroni bedyddiwyd hi ar broffes o'i ffydd yn Iesu Grist. Gwelodd bwysigrwydd gweinidogion y Gair ac anghenion yr eglwysi, a chyfrannai ugain punt i'r tlod-ion yn y cymundeb misol a hanner cant i drigain punt y mis i weinidogion y ddinas ar gyfer eglwysi anghenus neu i adeiladu mwy o gapeli. Uwchlaw popeth gwraig weddigar oedd hi, yn dibynnu ar arweiniad Duw ym mhob agwedd o'i bywyd.[2] Roedd hi'n dal ar yr orsedd pan ailgydiodd y Cymry yn y gweithgarwch Cristnogol ym Madagascar.

Thomas ac Elisabeth Rowlands

Thomas Rowlands o Drefgarnowen, Sir Benfro, oedd y gŵr a ailsefydlodd y berthynas rhwng Cymru a Madagascar. Gan-wyd ef 17 Medi 1852 yn fab i Timothy a Margaret Rowlands. Magwyd ef mewn cartref crefyddol, y tad yn ŵr diwylliedig ac yn dipyn o ddiwinydd, a'r fam yn ffyddlon yn dysgu catecis-mau ac emynau i'r bachgen. Cadwyd y ddyletswydd deuluol, a mynychai'r teulu gapel yr Annibynwyr yn y pentref.

Yn yr ysgol, a gododd yr Ymneilltuwyr, y tu ôl i'r capel, y derbyniodd Thomas Rowlands ei addysg gynnar. Gadawodd yr ysgol yn ddeuddeg blwydd oed gan ddechrau ar gyfnod o grwydro. Bu'n gweithio yn siop ei ewythr yn Hwlffordd, ond bu hwnnw farw a mentrodd Thomas Rowlands i gymoedd y de-ddwyrain i chwilio am waith. Treuliodd bedair blynedd yn Aberdâr, ac ymaelodi yn Siloa, a braint fawr iddo yn ystod y cyfnod hwn oedd gwrando ar Griffith John, y cenhadwr yn China, yn pregethu. Symudodd y bachgen ifanc i Ferndale ac yna i Dreherbert, lle'r ymaelododd yng Ngharmel a dechrau pregethu yno.[3]

Derbyniwyd Thomas Rowlands i Goleg y Bala yn 1875. Yn ystod y cyfnod hwn cadarnhawyd yr alwad a gafodd cyn hyn i weithio dros ei Waredwr ym Madagascar. Menter ffydd oedd hon oherwydd roedd ei rieni'n oedrannus, ond ar ôl cymryd y cam daeth y newydd bod arian wedi ei adael i'r tad a'r fam i'w cadw weddill eu bywyd. Roedd un peth arall yn angenrheidiol, sef cwmni i fynd i Fadagascar. Credai'n sicr fod gan ei Dduw ryw Rebeca ar ei gyfer.

Tra yn y Bala arferai Thomas Rowlands bregethu weithiau ym Mwlch-y-ffridd, ger y Drenewydd. Ar un Sul, pan bregethai yn y Trallwng, cyfarfu â merch ieuanc, Elisabeth Lloyd, o Fwlch-y-ffridd. Teimlai'n agos iawn ati, ac mae'n siwr iddo weld ei ddarpar wraig y diwrnod hwnnw. Beth bynnag, flwyddyn a hanner yn ddiweddarach, anfonodd Thomas Rowlands lythyr at Richard Lumley, gweinidog Bwlch-y-ffridd, i ofyn am gyngor ynglŷn â phriodi, ac os yn bosibl enwi rhywun cymwys fel cymar bywyd. Un enw'n unig a ddaeth i feddwl y gweinidog, sef Elisabeth Lloyd, a threfnwyd cyfarfod rhwng y ddau. Ni wyddai'r gweinidog bod y ddau wedi cyfarfod o'r blaen, flwyddyn a hanner cyn hynny. Priodwyd hwy 13 Ebrill 1879.[4]

Ordeiniwyd Thomas Rowlands yng Ngharmel, Treherbert, 1 Ebrill 1879, ac yntau ar y dydd arbennig hwnnw'n cyhoeddi ei fod yn ffŵl er mwyn Crist. Ar 16 Mai yr un flwyddyn, hwyliodd y ddau ar y llong *Clodian*, ac ychydig dros dri mis yn ddiweddarach, 6 Medi, angorwyd ym Mauritius, ar ôl taith stormus dros ben. Er hynny cafodd y ddau ddigon o gyfle i ddarllen ac astudio'n fanwl Eiriadur Saesneg-Malagaseg. Erbyn cyrraedd Mauritius nid oedd cyflwr iechyd Elisabeth Rowlands yn rhy dda, ac erbyn cyrraedd Tamatave ym Madagascar roedd yn bur ddrwg. Er ei bod hi mewn gwendid, mentro ymlaen a wnaeth y cwmni i'r brifddinas, a chawsant groeso tywysogaidd yno. Trefnwyd i'r ddau weld y frenhines, a synnodd hithau'n fawr o glywed eu bod ar eu ffordd i'r de. Gwell o lawer yn ei barn hi fyddai aros yn y brifddinas, lle llawer iachach na Betsileo, ond yr oedd bryd y ddau ar fynd yno. Dechreuwyd ar y daith ddau can milltir i'r de, a chyrraedd Ambohimandroso ddeuddeng niwrnod yn ddiweddarach.

Ar y maes

Mae'n siwr i Thomas Rowlands a'i wraig gael eu herio ar ôl cyrraedd Ambohimandroso. Braidd y gellid galw eu lle byw yn dŷ, gan fod y to a'r lloriau heb eu gorffen; dim ond un ffenestr oedd iddo, dim simne, a thri drws mewn cyflwr gwael. Roedd angen gosod to, ond ni ellid gwneud hynny yn ystod y tymor gwlyb, a llifodd y dŵr i'r adeilad. Esgeuluswyd y lle yn ysbrydol hefyd. Nid oedd gweinidog sefydlog yno, er bod efengylydd newydd gyrraedd. Esgeuluswyd y cylch mor hir nes bod rhai o'r cynulleidfaoedd fel 'cwmniau o baganiaid', ac yn 'warth i Gristnogaeth'.[5] Ymwelodd un cenhadwr â'r cylch un mlynedd ar ddeg yn gynharach a bu un arall yno am gyfnod o chwe mis. Ychydig oedd nifer y credinwyr, ond yn eu plith roedd tywysoges un o lwythau'r Bara, a llywodraethwr yr ardal.

Fel mewn ardaloedd eraill yn yr Ynys, brau oedd y berthynas rhwng y gwahanol lwythau. Yn Ambohimandroso, tref o bum mil o bobl, roedd pum gwahanol raniad, masnachwyr yr Hova (o Antananarivo), y caethion, y Tanala, sef llwyth y goedwig, llwyth rhyfelgar y Bara a phobl Betsileo. Sylwodd Thomas Rowlands ar y gwahaniaethau cymdeithasol yn yr eglwysi, hyd yn oed yn y dull o alw'r bobl i addoli. Yn yr eglwysi tlawd defnyddiwyd utgorn pren, yn y dref cloch, ac mewn amryw o eglwysi defnyddiwyd 'cauch shell', gyda thwll yn ochr y gragen i chwythu iddo, a'i sŵn fel trombôn yn cyrraedd ymhell iawn.[6]

Ymwelodd y cenhadon a'r eglwysi a'r ysgolion er mwyn asesu holl agweddau eu bywyd yn ofalus. Sefydlwyd dosbarthiadau beiblaidd, dosbarthiadau i athrawon yn y dref a thri lle arall y tu allan. Gwnaeth y gŵr a'r wraig eu gorau glas i hybu gwaith yr ysgol Sul hefyd, ond er mwyn bod yn llwyddiannus roedd yn rhaid dysgu iaith y bobl.[7] O fewn blwyddyn dechreuodd Thomas Rowlands bregethu unwaith y mis, a mentro i'r wlad hefyd i wneud hynny. Canolbwyntiai Elisabeth, ei wraig, ar ddysgu'r merched i ddarllen, ysgrifennu a gwnïo. Ar wahân i gyflwr ysbrydol trist y lle bu'n rhaid wynebu gwrthwynebiad y Pabyddion, a oedd yn denu'r bobl trwy roi arian, dillad a diodydd rým iddynt.

O'r deunaw cynulleidfa, yn amrywio o bedwar ugain i chwe chant mewn nifer, ffurfiwyd amryw ohonynt gan yr heddlu, oherwydd dyma oedd y ffordd orau i gadw trefn. Ofnai Thomas Rowlands nad gwaith hawdd fyddai dileu'r dylanwad hwn. Deunaw hefyd oedd nifer yr ysgolion, ac ugain i drigain o ddisgyblion ynddynt. Digon gwael oedd cyflwr yr adeiladau, pum capel mewn cyflwr gweddol dda, pedwar wedi eu gadael ar eu hanner a'r lleill yn graddol syrthio i'r llawr. Erbyn diwedd y flwyddyn gyntaf atgyweiriwyd tri chapel, a ffurfiwyd deg cynulleidfa, pedair wedi codi eu capeli eu hunain a'r chwech arall wedi cychwyn ar y gwaith. Bwriad y cenhadwr oedd chwilio am leoedd strategol yn y wlad er mwyn codi capeli ynddynt.

Un o bedwar canolfan oedd Ambohimandroso, a'r tri arall oedd Fianarantsoa, Ambositra ac Ambohinamboarina, y pedwar lle yn gyfrifol am gant a phedwar ugain o ganolfannau pregethu. Golygai hyn deithio cyson a llafurus i Thomas Rowlands a'r ychydig genhadon eraill. Yr hyn oedd angen arnynt i gyd oedd gras i ddyfalbarhau, oherwydd prin oedd y cynhaeaf o'i gymharu â'r llwyddiant yn y brifddinas a'r cylch. Un broblem a oedd yn gyffredin i'r eglwysi yn y pedwar canolfan oedd y fasnach alcohol, a disgyblwyd sawl un am feddwdod.[8]

Llewyrchai ambell lygedyn yn y tywyllwch. Perlau gras oedd Rafotsibe a Ravony.[9] Caethferch i'r Hova oedd Rafotsibe, a losgnodwyd ganddynt a'i gwerthu i sawl meistr. Clywodd yr efengyl, daeth yn Gristion a phrynwyd ei rhyddid gan ei thad am chwe phunt. Pan gyrhaeddodd Thomas Rowlands a'i wraig Betsileo, dyna lle'r oedd Rafotsibe yn byw mewn tlodi dychrynllyd. Trefnwyd iddi symud i'r tŷ cenhadol, a gwasanaethodd y Gymdeithas Genhadol am wyth mlynedd ar hugain. Cipiwyd Ravony gan lwyth y goedwig pan oedd yn bum mlwydd oed, ac ni welodd ei rhieni wedi hynny. Gwerthwyd hithau hefyd o feistr i feistr, a phan yng ngofal un ohonynt cafodd gyfle i fod yn nyrs yn y tŷ cenhadol. Glynodd wrth y teulu Rowlands am flynyddoedd lawer.

Er nad oedd sawl Rafotsibe a Ravony ar gael, roedd ambell beth i galonogi'r cenhadon. Daliodd y dosbarth beiblaidd yn ei rym, trefnodd Elisabeth Rowlands ddwy ysgol nos lwyddiannus a chafodd y gŵr a'r wraig hwyl ar ddysgu'r iaith. Nid mor llwyddiannus er hynny oedd y dosbarth canu, oherwydd, yn ôl y cenhadon, 'like England, the most unmanageable'.[10] Fel haul Awst oedd genedigaeth merch fach i Thomas a Margaret, er nad gwaith rhwydd oedd magu plentyn mewn gwlad estron. Daeth rhagor o gywion i'r nyth cyn bo hir, gan ychwanegu at fagad eu gofalon.

Er bod y newydd-ddyfodiad yn hawlio sylw, mentro i blith yr Ibara a wnaeth Thomas Rowlands, a'i boeni eto gan y masnachu anghyfreithlon. Y dull mwyaf poblogaidd oedd rhoi rŷm am ychen neu gaethweision. Hyd yn oed ymhlith y bobl hyn llwyddodd i gael dau fachgen a oedd yn barod i gael eu dysgu. Er bod tystiolaeth i'r efengyl yno, digon gwan oedd hi, a gwyddai Thomas Rowlands yn iawn bod rhannau helaeth o'r wlad heb glywed yr efengyl o gwbl, a pharod oedd i fynd a'r newyddion da i'r mannau hynny hefyd.

Tair taith

Wedi bod yn Betsileo am bron ddwy flynedd trefnodd Thomas Rowlands i arolygu'r gwaith yn fanwl. Yn ystod y tymor sych yn 1881 trefnodd dair taith er mwyn gweld beth yn union oedd cyflwr yr eglwysi a beth oedd y posibiliadau i ddatblygu'r gwaith.[11] I'r gorllewin yr aeth yn gyntaf, i wlad yr Ibara, taith dau ddiwrnod o Ambohimandroso, a hanner diwrnod i'r eglwys orllewinol agosaf, a oedd yn newydd ei sefydlu'r flwyddyn honno. Cadwai'r bobl yn dynn at eu harferion, dodi cŵyr ar eu gwallt a chario picellau a drylliau. Mewn gwirionedd nid Ibara oeddynt, ond caethion a ffodd o blith yr Hova a'r Betsileo, ac ychydig fasnachwyr rŷm o blith yr Hova. Ymunodd y rhan fwyaf â'r gwahanol benaethiaid er mwyn bod yn rhydd o ddeddfau'r llywodraeth. Roedd y rheini'n orfodol yn Betsileo, ond nid yn y rhan hon yr ymwelodd Thomas Rowlands â hi. Gwartheg oedd eu cynhaliaeth, cynhaliaeth ddigon sicr, oherwydd nid prynu'r gwartheg oedd eu harfer, ond yn hytrach eu dwyn oddi ar y Betsileo. Ym marn yr Ibara y dyn mwyaf llwfr oedd hwnnw a ofnai ddwyn gwartheg.

Cyfarfu Thomas Rowlands â dau bennaeth, un yn fachgen ifanc, un ar bymtheg mlwydd oed, yn dibynnu'n llwyr ar farn y rhai hŷn, a gŵr canol oed, praff a chryf o synnwyr cyffredin. Pan awgrymodd y cenhadwr y dylent gael athro, ni fedrent ymateb nes trafod y mater gyda'u pobl, ateb a olygai fel arfer nad oedd bwriad i weithredu. Er syndod mawr i Thomas Rowlands hysbyswyd ef mewn wythnos neu ddwy ar ôl dychwelyd o'i daith, bod capel wedi ei agor yno, o ganlyniad i ymweliad un o swyddogion y llywodraeth. Ofnai'r cenhadwr i'r swyddog ddylanwadu'n annheg ar y bobl, yn arbennig trwy greu ofn yr Hova ynddynt. Nid oedd Thomas Rowlands am i'r bobl gredu mai braich y llywodraeth oedd yr eglwys. Beth bynnag, ei fwriad oedd cael rhywun i weithio yno gynted ag oedd yn bosibl.

I Vohitrosy, yn ne Tanala, yr aeth Thomas Rowlands ar ei ail daith. Roedd yn gyfarwydd â rhai o'r bobl oherwydd deuent i'r farchnad yn Ambohimandroso ac ymweld â'r cenhadwr yn ei gartref. O'u cymharu a'r Ibara, roedd y bobl hyn yn fwy galluog a gweithgar. Bu llawer yn yr ysgol yn Fianarantsoa, ac roedd un ohonynt yn arbennig o alluog, gyda dawn i ddysgu eraill ganddo hefyd. Nid oedd yn aelod eglwysig eto, ac felly yn ôl rheolau yr *Isan-Kerin-Taona* (Cymdeithas Genhadol Gartref y Betsileo), ni fedrai fod yn athro. Bodlonwyd, er hynny, iddo ddysgu nes i athro arall gyrraedd. Pan oedd y cenhadwr yno daeth nifer da i'r cyfarfodydd gweddi yn y capel bychan, bambŵ, yn y bore a'r hwyr. Yno hefyd y cynhelid yr ysgol i'r pum disgybl ar hugain.[12]

Prif fwriad Thomas Rowlands ar ei drydedd daith i dde

Ibara oedd sefydlu athrawon mewn tri lle. Bu athro yn y lle cyntaf am ychydig ond ni bu'n llwyddiant mawr. Dim ond pymtheg oedd yno pan ymwelodd y cenhadwr â hi. Llwyddodd i gael gafael ar Gristion brodorol, a fedrai ddarllen, ac ysgrifennu ychydig, ac roedd gobaith felly y byddai'r rhieni'n danfon eu plant i'r ysgol. Un o ofnau'r rhieni oedd y 'praying', oherwydd yr eilunod oedd eu duwiau hwy, ac roedd y syniad am yr unig Dduw a oedd yn Fod personol yn gwbl ddieithr iddynt.

Tra gwahanol oedd agwedd y pennaeth ym Menarahaka. Eisoes anfonodd ei bum plentyn i'w dysgu yn yr ysgol, a chroesawodd Thomas Rowlands yn galonnog iawn. Y broblem fawr oedd y gwrthdaro rhwng y llwythau, a'r eiddigedd rhwng y penaethiaid. Ar ben hyn medrai'r dwymyn fod yn drwm iawn yn y cylch. Er hynny, perswadiodd y cenhadwr fachgen ifanc o blith y Betsileo i fynd yno fel athro.

Y trydydd man a oedd eisiau athro oedd Vohibe, ond ni fedrai Thomas Rowlands anfon un yno, heb ganiatâd y pennaeth. Dyma fan allweddol i'r dystiolaeth Gristnogol, man poblog, prysur, a chanolfan masnach. Ymhlith y masnachwyr roedd yr Hova, ond eu casáu a wnâi'r Ibara, a thrwy brofiad dysgodd Thomas Rowlands mai cam gwag oedd cydnabod unrhyw berthynas agos â'r Hova. Synnwyd y cenhadwr gan y croeso cynnes a gafodd gan y pennaeth, a oedd mewn gwirionedd yn frenin yr ardal. Addawodd dderbyn athro, rhoi tŷ a chyflenwad o reis a sicrwydd o ddiogelwch iddo. Yn fuan roedd deg ar hugain o blant yn yr ysgol. Ni fedrai'r pennaeth annog y bobl i weddïo, ond nid oedd am eu rhwystro chwaith. Dim ond hedyn mwstard oedd hyn yn ôl Thomas Rowlands, ond gwyddai hefyd fod y posibiliadau'n fawr. Gall hedyn dyfu'n goeden.[13]

Talcen caled oedd Ihosy. Llwyddodd athro'r ysgol i wneud peth gwaith yno, ond pan bu ef farw gwyddai Thomas Rowlands yn iawn na fedrai gael neb tebyg i gymryd ei le. Dim ond person o gymeriad cadarn a fedrai fod yno yng nghanol y fath bobl: ariangarwyr, yfwyr rŷm a meistri caethweision. Nid rhyfedd felly, pan anfonodd awgrymiadau i'r cyfarwyddwyr yn Llundain, mai un ohonynt oedd peidio â gwneud Ihosy yn un o ganolfannau'r Gymdeithas Genhadol. Gwell ym marn Thomas Rowlands oedd canolbwyntio ar Ambohimandroso, cael un cenhadwr i fyw yno, ac un arall i dreulio hanner blwyddyn yno, a'r hanner arall yn y wlad. Pwysleisiodd le'r Ewropeaid ym Madagascar, yn arbennig ymhlith y Bara, a hynny am ddau reswm: yr anhawster o gael Malagasiad cymwys, a pharodrwydd y Bara i ymddiried yn yr Ewropeaid yn hytrach na'r Hova. Roedd y mwyafrif o'r dynion ifanc a fu yn y coleg yn perthyn i'r Hova; felly, er mai hwy a dderbyniodd yr addysg orau, nid oeddynt yn dderbyniol gan amryw o'r llwythau.[14]

Y gwaith yn datblygu er yr anawsterau

Ar y cyfan, gobeithiol oedd Thomas Rowlands wrth feddwl am y gwaith ar ddiwedd y blynyddoedd cynnar. Roedd yn datblygu'n araf, ond yn sicr. Er ei bod yn anodd cael gweithwyr aeddfed a phrofiadol o blith y brodorion, roedd yr *Isan-kerintaona*, y Gymdeithas Genhadol frodorol, yn wynebu her eu cydgenedl. Hwy oedd yn cefnogi pob athro yn y Bara a'r Tanala. Lle i ddiolch oedd ganddo ef yn bersonol hefyd, oherwydd cafodd iechyd a nerth i wneud ei waith. Nid felly ei wraig, Elisabeth. Tostrwydd a gwendid oedd ei hanes hi, ond brwydrodd drwy'r cwbl, a pharhau i lafurio wrth ymyl ei gŵr.

Yn Ambohimandroso anodd oedd cael y Betsileo i wneud dim drostynt eu hunain heb orchymyn oddi wrth y llywodraeth, agwedd a oedd yn gwbl groes i ysbryd yr efengyl. Ar sail wirfoddol, bersonol, y derbyniwyd unrhyw un i'r eglwys. Yna, ar wahân i'r llywodraeth, roedd y Pabyddion yn dal i ddenu'r bobl, trwy roi rhoddion iddynt, a'r un oedd polisi'r cenhadon o Norwy. Ym marn Thomas Rowlands nid oedd hyn ond llwgrwobrwyo.

Un peth o gymorth mawr i Thomas Rowlands a'i deulu

fuasai tŷ gweddol gysurus, ond roedd ei gartref yn ofnadwy o gyfyng, a'r deunydd mor wael nad oedd gobaith gwella arno.[15] Os oeddynt i aros yno, roedd yn rhaid, yn ôl y cenhadwr, cael cegin ac ystafell bwrpasol i'w wraig ddysgu'r plant. Bu'n galed arnynt yn ystod 1881, 'The fact is we have been very hard up during the year, and were it not that we are Welsh, and so accustomed to a harder life than that of the English we should have been badly off indeed'.[16]

Blwyddyn anodd, felly, oedd 1881, ac eto, cyflawnwyd llawer:[17]

1880	cynulleidfaoedd	27
	ysgolion	25
1881	cynulleidfaoedd	37
	ysgolion	35

Erbyn diwedd 1881, y nifer oedd cynulleidfaoedd 35, ysgolion 33, a hynny oherwydd dylanwad cenhadon Norwy, a di-swyddo un athro.

Adeiladwyd pedwar capel o frics, pedwar o fwd a rhai adeiladau bambŵ, dros dro. Lluniwyd cynllun i hyfforddi dynion ifanc o wahanol ardaloedd, ac er mwyn hyrwyddo hyn adeiladodd Thomas Rowlands res o fythynnod y tu allan i fur ei ardd. Talwyd amdanynt gan arian oddi wrth eglwysi Cymru. Apwyntiwyd athro ar eu cyfer, gŵr a addysgwyd yn un o ysgolion cenhadol Antananarivo, a'i dalu bedair doler y mis. Cynorthwyai'r Genhadaeth y bechgyn trwy roi ychydig ddillad a sebon iddynt, ond eu rhieni oedd yn gyfrifol am gyflenwad o reis.

Bu gostyngiad yn nifer yr aelodau eglwysig. Ni ddylid gofidio gormod am hynny, yn ôl Thomas Rowlands, oherwydd y ddau reswm pwysicaf dros hynny oedd, gofal mwy manwl dros yr aelodau, a hefyd, yn fwy penodol, disgyblu ac ysgymuno'r masnachwyr rŷm. Araf oedd yr aelodau i ddysgu cyfrannu'n ariannol, ond bu gwelliant, a rhai eglwysi yn neilltuo blwch i bob teulu. Ar wahân i'r cyfarfodydd arferol, trefnwyd

dosbarth ar gyfer pregethwyr, trefniad a oedd yn gwbl angen-
rheidiol cyn iddynt gymryd rhan mwy amlwg yn y dref, a'u
hanfon i'r wlad. Hyd yn oed yn ei gwendid parhaodd Elisabeth
Rowlands gyda'r dosbarth beiblaidd i'r merched, a dysgu
gwnïo iddynt. Hawliai'r corff sylw hefyd, ac roedd Thomas
Rowlands yn fwy na pharod i gynorthwyo, er nad oedd gan-
ddo wybodaeth arbenigol o feddygaeth. Ond hyd yn hyn,
meddai, 'I have killed nobody as far as I know'.[18] Gyda phrofiad
y blynyddoedd, cynyddodd ei feistrolaeth feddygol.

Dal yn wanllyd oedd Elisabeth Rowlands am gyfnodau yn
ystod 1883, ond gan fod ei gŵr yn dal yn iach medrai ddyfal-
barhau'n dawel gyda'i orchwylion. Calondid arbennig oedd y
cynnydd ymhlith y dynion ifanc, dros ugain ohonynt yn der-
byn hyfforddiant gan Thomas Rowlands.[19] Gan fod angen tŷ
newydd ar y Gymdeithas Genhadol yn Ambohimandroso,
cytunodd y pwyllgor lleol i Joseph Pearse ymuno â Thomas
Rowlands, ynghyd ag E. Taylor, i ddewis y safle a pharatoi ar
gyfer yr adeiladu.[20] Chwalwyd eu breuddwyd gan gorwynt.[21]
Lleolwyd capeli'r cylch ar dir uchel, a oedd hefyd yn agored i'r
gwynt o'r dwyrain. Hyrddiodd y corwynt bob peth o'i flaen a
dinistrio un ar hugain allan o bum capel ar hugain, a'r ysgoldy
newydd yn y dref. Dyma ergyd drom i'r cenhadon, digon i'w
llorio. Dilewyd gwaith blynyddoedd mewn ychydig oriau. Yn
ôl Thomas Rowlands, adeiladau ac adeiladu a achosai'r poen
mwyaf i'r cenhadon. Ofnai na fyddai'n bosibl adeiladu o'r
newydd am fisoedd, ac mewn rhai mannau am flynyddoedd.

Oedi'n greulon a wnaeth y siom, ond ni fedrai'r gwaith aros
yn ei unfan. Un peth cwbl hanfodol oedd sicrhau cyflenwad o
Feiblau a dod o hyd i'r dull gorau o'u dosbarthu. Aelodau'r is-
bwyllgor i fod yn gyfrifol am hyn oedd Thomas Rowlands,
Arthur Huckett a Henry Johnson.[22] Roedd y ddau gyntaf, a
apwyntiwyd gan y pwyllgor lleol, hefyd i ymweld â chylch-
oedd y dwyrain, tua'r iseldir, i efengylu ac asesu'r posibiliadau
o sefydlu canolfannau.[23] Yn eu hadroddiad awgrymodd y ddau
y dylid sefydlu cenhadaeth yn y dwyrain gynted ag oedd yn

bosibl, y dylai'r cyfarwyddwyr anfon allan dri chenhadwr, neu, os nad oedd hynny'n bosibl, dylid annog cymdeithas Brotestannaidd arall i sefydlu yno.

Yr un oedd byrdwn Thomas Rowlands mewn llythyr a ddanfonodd at y cyfarwyddwyr yn Llundain. Disgrifiodd y wlad rhwng Mananjary a Vangaindrane, lle'r oedd y boblogaeth yn drwchus, a'i cyflwr ysbrydol yn dorcalonnus, ond yr oedd ychydig enwau yno heb ddifwyno eu dillad, ac ysgol o ryw fath. Dyma lle'r oedd yr Hova yn niferus, y rhan fwyaf yn gaethweision wedi dychwelyd o Imerina, ac roedd hyn, yn ôl y Cymro, yn fantais ac yn anfantais. Y fantais oedd parodrwydd yr Hova i dderbyn addysg, a'r anfantais oedd esiampl wael bywyd anfoesol eu swyddogion.

Nid oedd Thomas Rowlands yn ddibris o'r anawsterau, yn arbennig enbydrwydd y malaria, ond os oedd masnachwyr yn mynd yno er eu lles bydol eu hunain, dylai'r cenhadon fynd yno er lles ysbrydol y bobl. Ar ddiwedd ei adroddiad gwnaeth apêl daer am weithwyr newydd, gan nodi'r hyn a wnaeth bedair blynedd yn gynharach. Disgrifiodd ei hun fel Cymro o'r Cymry, a charai'n fawr pe byddai rhywun o'i wlad ei hun yn dod i fod yn gyd-weithiwr. Sicrhaodd y cyfarwyddwyr mai nid sentiment oedd hyn yn unig, oherwydd credai'n bendant bod Cymro yn fwy addas na'r Sais cyffredin i lafurio yn Ambohimandroso, 'simply because we are a hardier people, and have been accustomed to rough it in our own mountain home'.[24] Os nad oedd neb o Gymru'n ymgeisydd ar y pryd dylid tynnu sylw'r colegau yng Nghymru at yr angen ym Madagascar yn gyffredinol, ac Ambohimandroso yn benodol.

Yn ôl i Gymru dros dro

Os oedd bagad gofalon bugail yn drwm ar ysgwyddau Thomas Rowlands, ychwanegwyd atynt gan hawliau teuluol, afiechyd Mrs Rowlands a gofal pum plentyn. Bu'n rhaid i'r teulu ystyried o ddifrif ddychwelyd i Brydain,[25] a phenderfynwyd gwneud hynny yn 1888. Gan fod cyfarfodydd blynyddol yr

Undeb Cynulleidfaol yn Fianarantsoa, cafodd y teulu gyfle i fod yno yn ystod y rhan gyntaf o'r daith i'r brifddinas, cyn mynd i'r arfordir.[26] Ar y Sul cynhaliwyd cyfarfodydd gweddi cyn y ddwy oedfa am 9 o'r gloch, un yng ngofal James Sibree a'r llall yng ngofal Thomas Rowlands. Fel mewn mannau eraill ym Madagascar cafwyd addoli hwyliog a gwresog, y bobl yn codi i ganu, yn hytrach nag eistedd, fel oedd yr arfer yn y wlad, a nifer da yn dilyn y darlleniadau yn eu Beiblau. Ar ôl oedfaon y bore, cymerodd Thomas Rowlands ddosbarth ysgol Sul Miss Brockway, a chymerodd Elisabeth Rowlands a Mrs Sibree ddosbarth gwragedd Mrs Brockway. Pregethodd Thomas Rowlands yn y prynhawn hefyd.[27]

Nid teulu'r Rowlands yn unig oedd ar y daith hon, oherwydd mynnodd Ravony'r nyrs ddod i'w hebrwng. Aeth gyda'r teulu bob cam i Damatave, a cherdded yn ôl ei hunan yr holl ffordd i Ambohimandroso, taith o bedwar can milltir.[28] Dyma enghraifft lew o'i hymlyniad wrth y teulu a'i Gwaredwr.

Yng Nghymru, er bod cyfle i orffwys ychydig, roedd digon o brysurdeb hefyd: ymweld â theuluoedd a ffrindiau, a thrafaelu'r wlad dros y Gymdeithas Genhadol. Thomas Rowlands a drafaeliodd fwyaf, a chymryd un daith mor bell â Chaeredin. Pan ddaeth yr amser i fynd yn ôl i Fadagascar, y gofid mwyaf oedd gorfod gadael heb y plant. Trist oedd y ffarwelio, ond yn ffodus cafodd y plant loches gan chwaer Elisabeth Rowlands a'i gŵr, y Parch. D. B. Williams, Tre-gŵyr, gweinidog yr Annibynwyr.[29]

8
Gwenau Duw a Gweithwyr Newydd

'Y cynhaeaf yn ddiau sydd fawr, ond y gweithwyr yn anaml. Am hynny gweddïwch ar Arglwydd y cynhaeaf anfon gweithwyr i'w gynhaeaf.'
Mathew 10:37

Tywalltwyd yr Ysbryd Glân yn helaeth ar y cynulleidfaoedd. Ni chofiai hyd yn oed y cenhadwr hynaf ar y maes ddim byd tebyg.

Iwlad Betsileo tua'r de yr aeth Thomas Rowlands yn 1879, ond yr oedd Antananarivo, cylch y Cymry cynnar, heb genhadwr o'r hen wlad. Bu'n rhaid aros hyd 1886 cyn i Gymro fynd i'r cylch hwnnw.

A. W. Wilson yn Antananarivo

Ganwyd Alfred William Wilson yn Abertawe yn 1861. Methodist oedd yn ei ddyddiau cynnar ond aeth i Goleg Plymouth ac ymaelodi yn yr eglwys Annibynnol yno. Ordeiniwyd ef yn 1886 a'i benodi yn athro yn Ngholeg Tananarive, y cyntaf o'r cenhadon Cymraeg i ganolbwyntio ar y math hwn o waith.[1]

Aeth dwy flynedd heibio cyn i A. W. Wilson anfon unrhyw wybodaeth fanwl am ei waith.[2] Pan ddanfonodd at y cyfarwyddwyr yn Llundain soniodd am gynnydd araf yn nysgu'r iaith, er mai digon cloff y teimlai gyda'r dasg hon. Un ffordd o wella'i feistrolaeth oedd ymweld â'r myfyrwyr yn eu cartrefi. Yno, medrai gymryd ei amser i siarad yn hamddenol â hwynt. Treuliai bum niwrnod yn y Coleg Diwinyddol, ac felly nid oedd llawer o amser i wneud gwaith arall, fel efengylu. Ar wahân i'r dysgu roedd ganddo ddosbarth beiblaidd a dosbarth arall i bregethwyr.

Er bod ychydig o fyfyrwyr addawol iawn o dan ei ofal, ofnai A. W. Wilson bod rhai ohonynt yn meddwl am y cwrs fel paratoad ar gyfer swydd o dan y llywodraeth. Nododd y llythyrwr ddau wendid a'u poenai'n fawr ynglŷn â'r Coleg, sef nad oedd digon yn cael ei wneud ar gyfer paratoi gweinidogion, a bod gormod o gymdeithasau cenhadol yn ceisio gwneud yr un gwaith. Teimlai'n gryf ynglŷn â pharatoi gweinidogion, a gwell yn ei farn ef oedd gweld ugain, neu hyd yn oed ddeg gweinidog, yn mynd i'r maes, yn hytrach na hanner cant o efengylwyr. Nid oedd yn hoffi cystadleuaeth rhwng y gwahanol gymdeithasau cenhadol, ond credai y medrai amryw ohonynt wneud mwy dros y Malagasiaid.

Pan ddychwelodd James Sibree i Loegr am seibiant, cyflogwyd athro brodorol i gynorthwyo, ac ychwanegodd hyn yn fawr at effeithiolrwydd y Coleg.[3] Ym marn A. W. Wilson roedd yn well athro na'r rhai a gafodd flynyddoedd o brofiad dysgu. Tua phedwar ar ddeg ar hugain oedd nifer y myfyrwyr yn ystod y flwyddyn 1890-91, rhif braidd yn isel ym meddwl yr athro. Eto i gyd, roedd yn bosibl i'r ychydig fod o ddylanwad aruthrol os oeddynt o gymeriad cadarn, yn arbennig felly yn eu pentrefi eu hunain. Carai, hefyd, weld dynion hŷn yn dod i rai o'r darlithoedd, dynion na fedrai ddod i ddilyn y cwrs llawn. Gallent gael hyfforddiant pwrpasol i fod yn well arweinwyr yn eu heglwysi.

Braidd yn gymysglyd oedd A. W. Wilson wrth feddwl am y tri ar ddeg a orffennodd eu cwrs ym Mai 1891. Gallai fod yn hyderus ynglŷn â sawl un ohonynt ond yn bryderus ynglŷn ag eraill. Tuedd ambell fyfyriwr o'r wlad oedd efelychu bywyd y dref, a hefyd bod yn falch oherwydd yr addysg a dderbyniwyd. Dymuniad yr athro oedd gweld o leiaf ddau beth yn wir am ei fyfyrwyr, eu bod yn ostyngedig, a hefyd ar dân i efengylu i'w cyd-wladwyr. Nid oedd yn gwbl fodlon ar safon yr ymgeiswyr newydd chwaith, er i dri ar ddeg o'r pum ymgeis-ydd ar hugain lwyddo yn yr arholiad cyntaf.

Fel arfer gweithiai dau genhadwr yn y Coleg, ond ym marn A. W. Wilson, ac yn groes i farn James Sibree, nid oedd angen am hyn o gwbl. Dylid cael un cenhadwr i arolygu'r gwaith a rhyddhau'r llall i arolygu'r ysgolion, y pregethwyr a'r pregethu. Pan agorwyd y Coleg, roedd yn ofynnol cael dau oherwydd nid oedd llyfrau cymwys ar gael, na chynorth-wywyr brodorol, ond nid dyna'r gwir erbyn 1891. Croesawodd yn gynnes y cyfle i deithio yn ystod gwyliau'r Coleg, a mynd i gylch Sihanaka i arolygu'r ysgolion ac ymweld â'r eglwysi.

Tua'r un nifer oedd yn y Coleg yn ystod 1891-2. Dim ond tri a adawodd ar ddiwedd y flwyddyn, dau wedi mynd i gylch-oedd anghysbell, er iddynt gael gwahoddiad i aros yn agos i'r ddinas, a dychwelodd y llall i'w dref enedigol. Roedd hyn yn fodd i fyw i A. W. Wilson, a'i gwpan yn llawn pan wnaeth y pwyllgor lleol gymryd llawer mwy o ofal wrth dderbyn myfyr-wyr newydd. Bu'r Coleg ar ei elw o hyn, yn arbennig felly o safbwynt moesol. Prin erbyn hyn oedd yr achosion disgyblu am anfoesoldeb.[4]

Nid dysgu a theithio'n unig a wnâi'r athro, ond ysgrifennu hefyd. Gorffennodd esboniad ar y llythyr at yr Hebreaid i fod yn werslyfr yn y Coleg, a hefyd i gynorthwyo'r credinwyr yn y capeli, y rhai a fedrai ddarllen. Ei obaith oedd parhau gyda'r gwaith hwn, fel y medrai ef, a chenhadon eraill, orffen cyfres o esboniadau ar y Testament Newydd i gyd. Eisoes cyflawnwyd y dasg ar hanner y Testament, ond yr oedd ei amser am seibiant ym Mhrydain yn nesáu, a rhaid felly gohirio'r fenter am ych-ydig. Ar ôl dychwelyd roedd yn benderfynol o ddwyn y maen i'r wal.

Deffroad ysbrydol 1891-2

Cyn i A. W. Wilson adael am wyliau profwyd bendith ysbrydol yn y brifddinas ac yn Imerina'n gyffredinol. Felly hefyd yn Betsileo, bron yn union ar ôl i Thomas Rowlands ddychwelyd yn 1890. Soniwn yn gyntaf am y deffro yn Antananarivo a'r cylch.

Profai A. W. Wilson a'r cenhadon eraill bresenoldeb Duw yn eu gweithgarwch o ddydd i ddydd, ond cawsant wybod hefyd am gyfnod o fendith anarferol yn gynnar yn y nawdegau, er i un awdur awgrymu bod arwyddion o fendith yn ystod 1887.⁵ Nid yw hyn yn unol â thystiolaeth y cenhadon. Digwyddodd y cyffro yn Imerina mewn un cylch arbennig, er bod hwnnw'n gylch eang dros ben. Ym mis Mawrth 1891 aeth pedair athrawes am wyliau i'r wlad, dwy ohonynt yn athrawesau yn ysgol y merched hŷn yn Antananarivo. Cawsant ddigon o hamdden i drafod a holi'n arbennig paham yr oedd cyn lleied o'r Malagasiaid yn dod yn Gristnogion. Cytunwyd y dylai'r holi barhau ar ôl dychwelyd, ac y dylid rhannu'r baich gyda'r cenhadon eraill.⁶

Ffrwyth y trafod yn y brifddinas oedd cynnal wythnos o gyfarfodydd gweddi o 10 Mai ymlaen, a'r Parch. J. Peill yn arwain. Ymwelwyd â'r ysgolion yn y bore, a chynnal cyfarfodydd yn y prynhawn. Ysgrifennodd y Parch. R. Baron, 18 Mai,⁷ i gyhoeddi bod y fendith wedi cyrraedd, a chadarnhawyd hynny gan A. W. Wilson ychydig ddyddiau'n ddiweddarach.⁸ Cyfeiriodd y ddau at y cyfarfodydd yn Antananarivo, pob prynhawn o ddydd Llun hyd y dydd Sadwrn. Ymunodd cenhadon eraill â hwy, o Gymdeithas Genhadol yr Eglwys a Chymdeithas Genhadol y Crynwyr. Yn y cyfarfodydd cyhoeddus a'r cyfarfodydd gweddi cyn hynny, tywalltwyd yr Ysbryd Glân yn helaeth ar y cynulleidfaoedd. Ni chofiai hyd yn oed y cenhadwr hynaf ar y maes ddim byd tebyg i hyn. Sylweddolwyd hefyd, er i'r fendith ddod yn sydyn, bod gwaith cyson a thawel wedi ei gyflawni ar hyd y blynyddoedd. Bu llwyddiant eisoes ar waith yr ysgolion, ac yno'n awr y dechreuodd y fendith. Lledodd o'r ysgolion i'r eglwysi yn y brifddinas, a thu allan iddi.

Ar ôl pob cyfarfod gwahoddwyd pawb a argyhoeddwyd o'u hangen ysbrydol a'r rhai oedd yn chwilio am y gwirionedd, i aros am ychydig i gael cyfarwyddyd pellach. Gan fod y nifer mor lluosog trefnwyd cyfarfod i rannu profiad ar y Sadwrn, ac er bod y cenhadon yn disgwyl gweld cynulleidfa dda, syndod mawr oedd cael tua mil o bobl yn bresennol. Profwyd y cyfarfod er mwyn i'r dychweledigion newydd-anedig gael cyfle i ddangos eu bod o du'r Arglwydd, ac i roi cyfle i rai droi am y tro cyntaf at y Gwaredwr. Ar wahân i'r cyfarfodydd cyhoeddus, âi llawer at y cenhadon yn bersonol, i gael cyfarwyddyd, esboniad ar ddarn o'r Ysgrythur a gweddïo.[9]

Un nodwedd amlwg o'r cyfarfodydd oedd cyffesu pechodau yn gyhoeddus. Un o'r brodorion yn cydnabod iddo ddwyn arian o'r ysgol. Carai dalu'n ôl fel Sacheus gynt, ond er nad oedd hyn yn bosib, medrai dalu'n ddau-ddyblyg. Cyffesu anwiredd fel gwas un o'r cenhadon a wnaeth un arall. Fel gwas, ef oedd yn gyfrifol am brynu bwyd yn y farchnad, ond er mwyn elw personol nodai swm uwch nag a dalodd am y nwyddau a phocedi peth o'r arian. [10]

Ar ddiwedd yr wythnos hynod hon ym mis Mai cynhaliwyd gwasanaeth yn Amparibe, pan adawyd y cyfarfod yn gwbl agored. Roedd rhai yn gweddïo, eraill yn tystiolaethu i ras Duw, a phrofiad un ferch ifanc wrth sôn am hyfrydwch cariad Crist yn tanio'r gynulleidfa. Ar y dydd Llun canlynol gwahoddwyd y Cristnogion ifanc at ei gilydd, tua chwe chant ohonynt. Cyfarfod anffurfiol oedd hwn, a'r Cristnogion brodorol yn cael blas arbennig ar ganu'r emynau.[11] Digwyddodd pethau tebyg mewn sawl ardal yn ystod yr un flwyddyn. Yn ôl A. W. Wilson gwnaeth y fendith gyfoethogi bywydau llu o bobl, a herio'r cenhadon o'r newydd, eu ceryddu am eu diffyg disgwyl oddi wrth Dduw, a'u dwyn allan o'u rhigolau traddodiadol.[12]

Disgynnodd defnynnau o fendith eto'n ysbeidiol a disgynnodd y cawodydd unwaith yn rhagor ym Mai 1892.[13] Erbyn hyn ffurfiwyd cwmni o ddeuddeg i arwain y gwaith mewn tair ardal, pedwar ymhob un, dau genhadwr a dau grediniwr brodorol. Rhyddid yr Ysbryd oedd prif nodwedd cyfarfodydd yr wythnos hon, rhannu profiad a chanu, ond yr oedd pregethu ymhob oedfa hyd y nos Sadwrn, pan adawyd y gwasanaeth yn agored. Amcangyfrifai Richard Baron bod rhwng dwy a thair mil o bobl yn bresennol yn y cyfarfodydd bob dydd. Profwyd goleuni a gwres yr Ysbryd Glân, ac er bod yr emosiwn yn gryf, prin oedd yr enghreifftiau o fynd dros ben llestri. Diogelwyd trefn y cyfarfodydd gan y cenhadon a oedd yn arweinwyr profiadol.

Ffrwyth y deffroad

Fel y digwyddodd mewn sawl diwygiad yng Nghymru, gwnaeth y diwygiad hwn ym Madagascar hybu achos llwyr-ymwrthod. Enghraifft ddisglair o hyn yw'r gŵr a adroddodd ei hanes wrth un o'r cenhadon. Bu'n yfed yn drwm, a'i arfer oedd ymladd yn ei ddiod, ond un noson galwyd yr heddlu; daliwyd ei wrthwynebydd, ond llwyddodd adroddwr y stori ddianc. Cuddiodd mewn cae reis, ac yn ystod y nos llanwyd ei enaid gan gywilydd a galwodd ar Dduw i drugarhau wrtho. Mynychodd rai o gyfarfodydd yr wythnos o fendith a chafodd sicrwydd o'i iachawdwriaeth yn yr Arglwydd Iesu Grist. Erbyn diwedd yr wythnos gofynnodd am gael ardystio dirwest, a'r cenhadon yn fwy na pharod i gydsynio.[14]

Tystia'r cenhadon yn gyffredinol i ffrwyth parhaol y cyfnodau hyn o fendith. Nid oedd y ffrwyth ar ei ganfed ym mhob ardal, ond roedd ei ansawdd, ar y cyfan, yn dda, ac yn aeddfedu gydag amser. Prin oedd yr ardaloedd hynny lle'r oedd llithro yn ôl i'r hen ffyrdd yn amlwg. Un o'r cylchoedd hynny oedd maes y Cymro, D. D. Green, y cawn sôn amdano eto. Awgrymir mai ymateb yng ngwres y foment oedd yn gyfrifol am y gwywo sydyn. Posibilrwydd arall oedd ofn, sef ofn y Ffrancwyr, a bod y brodorion yn chwilio am ddiogelwch yn y cyfarfodydd crefyddol. Nid yw'n deg honni'n sinicaidd, fel y gwnaeth un awdur, mai dylanwad personol y cenhadon oedd yn troi'r brodorion at Grist, ac o'r herwydd na fedrai'r ffrwyth fod yn barhaol.[15] Awgryma'r awdur hwnnw bod y brodorion yn erfyn am faddeuant, nid oddi wrth Dduw yn unig, ond oddi wrth y cenhadon hefyd, fel pe byddent yn dduwiau bach i'r credinwyr. Nid yw dylanwad personoliaeth cenhadwr yn ddigon i gyfrif am y ffrwyth ysbrydol. Bywhawyd addoli a thystiolaeth yr eglwysi, rhoddwyd gallu i'r arweinwyr ddirnad rhwng y gwir a'r gau mewn profiad ac athrawiaeth, a meddiannwyd yr arweinwyr a'r aelodau â sêl i efengylu. Aeth gŵr a gwraig o Imerina i bellteroedd y gogledd i gyhoeddi'r newyddion da.[16] Ffrwyth ysbrydol yw hyn, nid naturiol, dylanwad gwaith cleddyf yr Ysbryd ac nid gwaith braich dyn.

Teimlwyd y gwahaniaeth yn yr ysgolion hefyd, lle'r oedd dysgu'n rhwyddach yn awr a disgyblaeth yn haws i'w weinyddu. Un canlyniad arall oedd gwneud grŵp fel 'Christian Endeavour', a'r eglwysi, yn fwy sensitif yn gymdeithasol, oherwydd, ar wahân i'r cyfarfodydd arferol, byddent yn ymweld â'r afiach a'r dall, ac yn atgyweirio cartrefi'r tlodion.[17]

Robert Roberts

Tra oedd Thomas Rowlands yn mwynhau egwyl yng Nghymru, cafodd gyfle i gymryd rhan yng nghyfarfodydd neilltuo Robert Roberts i'r gwaith ym Madagascar. Ym Manceinion y ganwyd Robert Roberts yn 1866, ond roedd ei dad a'i fam o Ogledd Cymru, y tad o Lanfair, Dyffryn Clwyd, a'r fam o gyffiniau Bangor. Addysgwyd ef mewn ysgolion lleol, Coleg y Bala (1884), a Chaeredin, lle y bu'n dilyn cwrs meddygol. Disgleiriodd fel myfyriwr a gallai fod wedi graddio'n hawdd, ond roedd Madagascar yn galw, a chryfach, taerach yr alwad na'r awydd i ofalu am gyrff dynion. Clywodd y llef o Fadagascar yn y Bala, ond erbyn dyddiau Caeredin roedd yn rhaid ymateb. Ar 21 Mai 1890 priododd ag Elisabeth Anne Griffiths, aelod, fel yntau, yn Charlton Road, Manceinion, ac yno hefyd yr ordeiniwyd ef 25 Mai 1890. Hwyliodd y ddau, ynghyd â Thomas Rowlands a'i wraig, 16 Gorffennaf 1890 a chyrraedd Madagascar 20 Awst.[18]

Treuliwyd ychydig wythnosau yn Fianarantsoa, cyn mynd i Ambohinamboarina, a'r Sul a'r Llun cyntaf croesawyd hwy yn gynnes, 'Y Sabbath hwnnw cafwyd cyfarfod i'w croesawu. Er mor fuan ar ôl glanio, rhoddodd Mr Roberts yr holl emynau allan, a darllenodd ei atebiad i'w hanerchiadau yn iaith y brodorion'.[19] Setlodd y ddau yn fuan, dysgu'r iaith yn drwyadl, dechrau efengylu a chadw ysgol am gyfnod byr. Gweithient mewn ardal lle'r oedd pum eglwys ar hugain, gyda chynulleidfa'n amrywio o ddeg i hanner cant, ac ysgol ymhob un o'r capeli. Mewn sawl capel dim ond yr athro oedd yn aelod, felly, nid rhyfedd nad oedd pregethu cyson. Tra gwahanol oedd yr eglwys yr ymaelododd Robert Roberts a'i wraig ynddi; yno roedd pedwar ugain a deg o aelodau, dau weinidog, efengylydd ac ysgol Sul o hanner cant.[20]

Yn fuan profwyd y melys a'r chwerw. Ar 8 Chwefror 1891 ganwyd merch fach, Gladys Elisabeth, i Robert ac Elisabeth Roberts, ond bu farw 15 Hydref yr un flwyddyn. Pan fu farw darllenodd y tad a'r fam y bedwaredd bennod ar ddeg yn Efengyl Ioan, o'r Beibl Cymraeg a ddefnyddiai Robert yn nyddiau'r coleg yn y Bala.[21] Lliniarwyd ychydig ar y siom pan anwyd Ethel May ym mis Ebrill 1892. Tra oedd mesur o fendith ar y gwaith, roedd ymosodiadau o'r tu allan. I'r gorllewin cartrefai amryw o lwythau a oedd yn wrthwynebus i lywodraeth yr Hova, a phob amser yn barod i ymosod ar wahanol gylchoedd. Yn ystod y tymor sych yn arbennig, eu harfer oedd cipio disgyblion o'r ysgol, eu gwneud yn gaethweision neu eu lladd. Crewyd ofn ymhlith y bobl, nid yn unig oherwydd y trais, ond hefyd oherwydd eu hofergoeliaeth, a'r gred bod y duwiau yn eu herbyn.

Medrai'r croeso hyd yn oed fod yn broblem. Yn eu cylch eu hunain derbyniwyd y cenhadon newydd â breichiau agored, ond credwyd hefyd bod gallu ganddynt i wneud popeth, yn arbennig yn feddygol. Credai un fam y medrai'r cenhadon agor llygaid ei mab dall, a gwraig arall, a gollodd ei thrwyn, yn gofyn i Robert Roberts roi trwyn newydd iddi, oherwydd hebddo ni fyddai neb yn ystyried ei phriodi.[22]

I Thomas ac Elisabeth Rowlands gwaith hawdd oedd cynnau

tân ar hen aelwyd. Setlodd y ddau unwaith eto yn Ambohim-androso. O fewn chwe mis calonogwyd y ddau'n fawr. Ni phrofwyd yr un grymusterau â'r rhai yn Antananarivo, ond eto i gyd adfywiwyd yr eglwysi i raddau helaeth. Nodweddwyd y deffro gan sêl i efengylu, a nifer o bob oedran yn gofyn am fedydd. Cyn hyn dod yn un ac yn un oedd yr ymgeiswyr, a pheth newydd oedd gweld nifer da yn dod yr un pryd. Ar wahân i hyn roedd amryw o ieuenctid yn ymgeisio am ael-odaeth. Croesawodd Thomas Rowlands a'i wraig y cawodydd ysgafn hyn o fendith, a bu'r ddau o ddifrif yn dysgu'r dych-weledigion.[23] Rhaid oedd sianelu'r profiadau yn llif y gair.

David Morris Rees

Roedd dau Gymro arall ar y ffordd i Fadagascar, a chafodd Thomas Rowlands y pleser o'u croesawu i'r de ym mis Tach-wedd 1891. Y ddau oedd David Morris Rees a'i wraig Lizzie. Ym Mron-lwyd, plwyf Clydai, Sir Benfro, y ganwyd D. M. Rees, ond pan oedd yn blentyn addolai yng Nghapel y Graig, Tre-lech.[24] Fel Thomas Rowlands, aeth D. M. Rees hefyd i'r Rhondda i chwilio am waith, ac yno yn Siloh, Pentre, y dech-reuodd bregethu. Blwyddyn arwyddocaol iawn oedd 1891 iddo; dyma'r flwyddyn y gadawodd Goleg Bala-Bangor, ei ordeinio yn Siloh, priodi â Lizzie Selina Trow o'r Drenewydd, codi angor am Fadagascar a chyrraedd yno 20 Tachwedd 1891.

Meistroli'r iaith oedd yr her gyntaf i D. M. Rees a Lizzie, a bu'r ddau'n llwyddiannus yn eu harholiad cyntaf. O ganlyniad medrent weithio yn yr eglwys yn ogystal â chynorthwyo'r teulu Rowlands. Er iddynt dorchi llewys gostwng a wnaeth rhif yr aelodau, ond nid oedd yn achos gofid mewn gwirionedd, oherwydd digwyddodd hyn mewn canlyniad i ofal mwy gofalus dros yr aelodau. Holwyd yr ymgeiswyr am aelodaeth yn fwy manwl a dysgwyd y credinwyr yn fwy trylwyr.[25] Daeth yr hen elyn heibio eto, a chipiwyd eu plentyn bychan gan yr angau.[26]

Symudodd Thomas ac Elisabeth Rowlands i Fianarantsoa,

ond cysylltai Thomas â D. M. Rees er mwyn ei gynghori, gan ei fod yn ddibrofiad. Y prif reswm dros y symud oedd marwolaeth sydyn Robert Roberts. Gadawodd ef a'i wraig Fianarantsoa i weithio yng nghylchoedd anghysbell Ambohinamboarina ac Imanandriana, ond llethwyd hwy gan y dwymyn a bu farw Robert 21 Mawrth 1893. Dychwelodd ei weddw i Lundain. Pan gyfarfu'r pwyllgor lleol, 7, 8 Mehefin, cyfeiriwyd at y golled enfawr ym marw un mor ifanc, diolchwyd am ei ddifrifoldeb a'i ymgysegriad llwyr i'r gwaith, a danfonwyd gair o gydymdeimlad at ei weddw.[27]

Edwin Pryce-Jones

Collwyd un cenhadwr ond yr oedd dau arall ar y ffordd i Fadagascar, sef Edwyn Pryce-Jones a'i wraig, Minnie.[28] Cyrhaeddodd y ddau, gyda'u plentyn bychan, ganol 1893. Cawsant brofiad brawychus ychydig fisoedd ar ôl cyrraedd. Llosgwyd adeiladau wrth ymyl eu tŷ i'r llawr.[29] Yno y cadwyd blawd, siwgwr, reis ac amryw o eiddo personol y Jonesiaid. Deffrowyd hwy ganol nos, a gwnaethant eu gorau i achub y nwyddau. Llwyddwyd i arbed y blawd a'r siwgwr ond collwyd y reis i gyd. Nid oedd y brodorion yn siwr iawn sut i ymateb, rhai yn mwynhau'r olygfa, eraill yn ofni agosáu ond neb yn barod i gynorthwyo. Gadawyd Edwyn Pryce-Jones ar ei ben ei hun i wasgaru tywod i rwystro'r tân rhag cyrraedd ei gartref. Dyma'r unig beth y medrai wneud oherwydd nid oedd bwcedi ar gael i gario dŵr, a hyd yn oed pe byddai'r brodorion yn barod i gynorthwyo, dim ond mewn Malagaseg bratiog y medrai eu cyfarwyddo. Dim ond un cenhadwr arall oedd yn y ganolfan, ac yr oedd yntau yr ochr arall i'r adeilad yn ceisio gwneud yr un gwaith ag Edwyn Pryce-Jones. Oherwydd yr alanas bu'n rhaid codi adeiladau newydd, a hawliai arian o Lundain a'r pwyllgor lleol, ynghyd ag amser y cenhadon.[30]

Nid yr adeiladau'n unig oedd yn mynd ag amser Edwyn Pryce-Jones, ond y gwaith meddygol hefyd. Nid oedd yn anfodlon rhoi sylw i'r agweddau hyn, ond ei awydd mawr oedd meistroli'r iaith er mwyn pregethu i'r bobl. Amcangyfrifodd iddo ddelio â dros fil o achosion corfforol yn ystod y chwe mis y bu yn y wlad. O ganlyniad ni fedrai gael llawer o amser i fyfyrio, darllen a bod gyda'i deulu. Gosodwyd baich trwm ar ei ysgwyddau:[31]

	Bore	*Prynhawn*
Llun:	Fferyllfa	Cleifion o bell yn dod i mewn Adolygu'r adeiladau
Mawrth:	Fferyllfa	Cymryd y dosbarthiadau
Mercher:	Fferyllfa	Darllen; gofal yr adeiladau
Iau:	Paratoi ar gyfer y dosbarthiadau	Dosbarthiadau
Gwener:	Fferyllfa	Cleifion o bell yn dod i mewn Gofal am yr adeiladau
Sadwrn:	Yr athrawon yn dod am gyngor a moddion	
Sul:	Weithiau yn ei gylch ei hunan, weithiau'n teithio gyda chenhadwr arall.	

Yn y dosbarthiadau Edwyn Pryce-Jones oedd yn gyfrifol am Saesneg, Rhifyddeg, Daearyddiaeth, Gramadeg, Ewclid, Gwyddoniaeth, Algebra, ysgrifennu, ac arlunio.

David Davies Green

Erbyn 1894 roedd pedwar Cymro'n llafurio ym Madagascar, Thomas Rowlands, D. M. Rees, Edwyn Pryce-Jones ac A. W. Wilson. Y flwyddyn honno cyrhaeddodd un arall o Gymru, sef David Davies Green. Brodor o Gaernarfon oedd ef, ond bu'n byw am gyfnod yn y Bala, a dechreuodd bregethu gyda'r Annibynwyr yng Nghorwen. Addysgwyd ef yng Ngholeg Bala-Bangor, a'i ordeinio i'r maes cenhadol yng nghapel King's Cross, Llundain. Am y flwyddyn gyntaf ei faes oedd Ambatondrazaka. Symudodd wedyn i Imerimandroso, a dychwelyd i Brydain am seibiant yn 1897. Tra oedd yng Nghymru priododd

Amelia Jones o Wrecsam, a dychwelodd y ddau i Fadagascar yn 1899, y tro hwn i'r de.

Cyrhaeddodd D. D. Green i wynebu, fel y cenhadon eraill, gyfnod helbulus dros ben. Cynyddu a wnaeth yr anawsterau. Roedd gelynion newydd yn y tir: y Ffrancwyr.

9
Y Ffrancwyr a Her y Newid

Nid dyfodiad y Ffrancwyr oedd yr unig chwyldro. Ar ôl eu dyfodiad cododd amryw o'r Malagasiaid mewn gwrthryfel chwerw, a rhoi penrhyddid i'w teimladau yn erbyn pob estron a Christion fel ei gilydd.

'Bu'r erlid yn fodd i gryfhau a phuro'r Eglwys . . . yn fwy na dim dysgodd y Cristnogion i weddïo a phwyso'n drymach ar Dduw.'
Thomas Rowlands

Bu Ffrainc yn llygadu Madagascar yn gyson ar hyd y bedwaredd ganrif ar bymtheg, ac aeth yn fwy ymosodol ar ôl y rhyfel yn erbyn yr Ynys (1883–5). Hawliodd freintiau oddi wrth y frenhines ond gwrthodwyd hwy, penderfyniad a gynddeiriogodd y Ffrancwyr, a'u hymateb oedd glanio ar arfordir y gogledd-orllewin yn 1894.[1]

Dyfodiad y Ffrancwyr

Yn araf bach teithiwyd i gyfeiriad Antananarivo, ond buont ar y daith bron chwe mis, oherwydd y ffyrdd gwael a dwyster y dwymyn. Tasg ddyddiol oedd agor beddau i gladdu'r meirw. Cyrhaeddodd y Ffrancwyr Ambohimirino ar 25 Medi, tua deunaw milltir o'r brifddinas. Clywyd sŵn tanio canon yn y pellter yn ystod y dyddiau nesaf, tawelwch ar ddydd Gwener y seithfed ar hugain, ond clywyd tanio eto ar y Sadwrn a'r Sul pan ddaeth y milwyr Ffrengig i'r golwg am y tro cyntaf. Ni fu gwasanaethau o gwbl y diwrnod hwnnw, gan fod pawb yn paratoi i amddiffyn y ddinas. Tua phump o'r gloch y prynhawn daliodd y Malagasiaid un o'r milwyr Ffrengig, ei ladd, torri ei ben, ei freichiau a'i draed, a'u harddangos y tu allan i'r palas. Condemniodd y frenhines y weithred yn llym, a chyhoeddi'n agored yn erbyn y fath farbareiddiwch.[2]

Pan glywyd bod y gelyn yn agosáu, arfogwyd y Malagasiaid â phicellau, cyllyll hirion, pastynau a hen gleddyfau, nid yr arfau gorau i wynebu byddin ddisgybledig Ffrainc. Cafodd y gwragedd a'r plant ganiatâd i adael y brifddinas er mwyn eu diogelwch. Am ddyddiau cyn hynny arferent ddod at ei gilydd ar doriad gwawr i ganu'r 'Mirary', y gerdd-weddi, a arferai eu mamau gynt ganu yn ystod rhyfeloedd y llwythau:[3]

Amddiffyn di hwynt, O Arglwydd!
Llwydda di eu hymdrech!
Na chaffed y waywffon gyfle i'w taraw!
Ac na fydded i'r dryll un niwed iddynt hwy.
Caethiwo eu gelyn a gaffont.
Pa un bynnag ai y boreu ai yr hwyr yr ymladdont,
Llwyddo i orchfygu eu gelyn a wnelont.

Gadawodd y cwmni mewn pryd i osgoi'r frwydr oedd ar fin cychwyn.

Erbyn y dydd olaf o Fedi, roedd yr ymladd yn ffyrnig, ond dim ond am ychydig oriau y bu, o ddeg o'r gloch y bore hyd 3.30 y prynhawn. Sylweddolodd y frenhines mai'r peth doeth oedd ildio er mwyn osgoi cyflafan a fedrai barlysu bywyd yr Ynys. Gostyngwyd baner y palas, a chariwyd y faner wen i gyfeiriad y Ffrancwyr.[4] Trwy rym milwrol roedd un o'r gall-uoedd mawr, unwaith eto, wedi gorchfygu; 'trechaf treisied, gwanaf gweined'.

Digwyddodd y newidiadau'n gyflym dros ben. Cyhoedd-wyd yn swyddogol bod Ffrainc wedi meddiannu'r brifddinas, mai Ffrangeg a fyddai iaith masnach, a rhoddwyd addewid o ryddid crefyddol. Gŵr digon gwaraidd oedd y Cadfridog Laroche, cynrychiolydd Ffrainc, a gwnaeth ei orau i sicrhau triniaeth garedig i'r Malagasiaid, ac roedd y cenhadon hwythau yn falch o ymateb yn ysbryd yr efengyl. Bu ysbyty'r LMS yn brysur iawn yn trin y Malagasiaid a'r Ffrancwyr clwyfedig. Nid oedd amheuaeth, er hynny, bod grym newydd yn y brifddinas. Meddiannwyd y capeli gan y milwyr, ac o ganlyniad, gan ei bod yn anodd cwrdd ar y Sul, ffodd llawer o gredinwyr i'r wlad.

Credai'r Ffrancwyr mewn trefn. Mewn byr amser trawsnewidiwyd Antananarivo, a chryn gamp oedd hyn gan fod 75,000 o bobl yn byw yn y ddinas. Cyn 1895 nid oedd cyflenwad o ddŵr yno, dim carthffosiaeth, ffyrdd gwael, ac roedd llwgrwobrwyo swyddogion yn rhemp. Adeiladwyd ffyrdd da, a threfnu bod pob dyn dros un ar bymtheg yn neilltuo deng niwrnod ar hugain mewn blwyddyn i'r gwaith hwn. Glanhawyd y ddinas, crewyd gerddi i'w harddu, a threfnwyd gwell cyfleusterau meddygol ar gyfer y bobl. Rhannwyd y wlad yn bedair ar hugain o daleithiau, gydag ardaloedd o'u mewn a chantonau o'u mewn hwythau. Er mwyn gwella cyflwr economaidd yr Ynys cyflwynwyd cynllun o drethi.[5]

Ymhlith y newidiadau i gyd roedd dau ohonynt yn chwyldroadol, sef dileu caethwasiaeth a'r *Fanompoana*.[6] Mater cymhleth iawn oedd caethwasiaeth i'r cenhadon, oherwydd ar un llaw roedd yn ffiaidd yn eu golwg, ond ar y llaw arall ni fedrent argyhoeddi'r credinwyr hyd yn oed o ddrygioni'r drefn hon. Roedd eithriadau, a gwnaeth ambell feistr ryddhau ei gaethweision, ac roedd yn bosibl hefyd brynu rhyddid. Ar 27 Medi 1896 cyhoeddwyd mewn posteri ar furiau'r ddinas bod pob caethwas ym Madagascar i'w ryddhau. Newidiwyd trefn gymdeithasol yr Ynys mewn un diwrnod.

Y *Fanompoana* oedd y llafur gorfodol a benderfynwyd gan y llywodraeth ar gyfer pob person. Dilewyd hwn yn awr, er bod *corvée* y Ffrancwyr i adeiladu ffyrdd yn hynod o debyg i'r hen drefn. O dan y drefn Ffrengig talwyd am bob gwaith gan y llywodraeth. Croesawodd y cenhadon y newidiadau hyn, heb gau eu llygaid i'r anawsterau. Roedd anrhefn oherwydd i'r milwyr feddiannu'r capel, a throsglwyddwyd y Coleg yn y brifddinas i'r Ffrancwyr hefyd.

Colled i Fadagascar yn gyffredinol, ac i'r cenhadon, oedd ymadawiad M. Laroche. Roedd yn ŵr o egwyddor, yn fonheddwr, yn awyddus bob amser i sicrhau cyfiawnder, ond roedd yn Brotestant. Hyd yn oed cyn iddo adael Ffrainc roedd gwrthwynebiad iddo. Parhaodd y gwrthwynebiad tra oedd ym Madagascar, a datblygodd mor chwyrn nes i lywodraeth Ffrainc benodi rhywun yn ei le.[7] Cyn diwedd 1896 y Cadfridog Gallieni oedd yn teyrnasu ym Madagascar, neu o leiaf yn gwneud ei orau i feddiannu'r wlad yn enw Ffrainc. Llywodraethai â llaw gref, ond, fel Pabydd, ei duedd oedd ochri gyda'r Pabyddion, tuedd a olygai yn aml annhegwch i'r Protestaniaid.

Beth felly am hynt y Cymry yng nghanol yr helbul i gyd? Mae'n bryd olrhain eu hanes er mwyn deall beth a ddigwyddodd iddynt. Nid oedd A. W. Wilson yn y Coleg erbyn hyn. Pan ddychwelodd ar ôl seibiant ddechrau Hydref 1894, neilltuwyd ef i arolygu ysgolion ac efengylu yn Sianhaka, i'r gogledd o Antananarivo.[8] Ar y ffordd o Damatave galwodd yn Imerimandroso i weld y cenhadon, Miss Foxall, Mr a Mrs Mackay a D. D. Green. Roedd y Cymro â'i drwyn wrth y maen yn ymgodymu â'r iaith, ond nid oedd A. W. Wilson yn siwr iawn beth oedd y trefniant gorau ar gyfer ei gyd-Gymro. Credai'n bendant na ddylai D. D. Green a Miss Foxall gydweithio, ond roedd hi'n gyndyn iawn i symud. Gellid gofyn i D. D. Green symud ato yn Ambatondrazaka, ond nid oedd digon o waith yno i ddau.[9] Cyn i A. W. Wilson fedru gwneud penderfyniadau pendant, nesaodd y Ffrancwyr o'r gorllewin a chrewyd ofn a phryder ymhlith y bobl.

Cymhlethwyd bwriadau A. W. Wilson, nid gan y Ffrancwyr yn unig, ond gan y cyfarwyddwyr yn Llundain hefyd. Eu hawgrym oedd anfon D. D. Green ymhellach i'r gogledd, ond anghytunai Wilson.[10] Ymwelodd ag Imerimandroso i hybu'r gwaith yno ond lledodd y dwymyn am gyfnod o wyth wyth-nos, a'i orfodi i aros yno. Yn ystod yr un cyfnod roedd D. D. Green yn Ambatondrazaka, fel pelican, a neb o'i gwmpas ond y gweision.[11]

Llid y llwythau

Y gofid mwyaf, er hynny, oedd ymateb y bobl i ddyfodiad y Ffrancwyr. Cododd y llwythau mewn gwrthryfel a beio'r Cristnogion am yr hyn oedd yn digwydd yn yr Ynys. Meddiannwyd y llwythau gan ysbryd gwrth-Gristnogol a phenderfyniad i gael gwared â phob estron. Gwell o lawer ym marn y penaethiaid oedd ymddiried yn yr eilunod, ac adfer yr hen drefn unwaith eto yn y wlad. Ffodd amryw o'r cenhadon i Fenoarivo, a threfnwyd i Miss Foxall ddychwelyd i Loegr. Erbyn dechrau 1896 heidiai'r gwrthryfelwyr dros y wlad fel anifeiliaid gwyllt, a chuddiai lladron ar yr heolydd, nes gor-fodi'r llywodraeth i gau amryw ohonynt. Nid oedd eiddo'n ddiogel a meddiannodd y terfysgwyr filoedd o ychen. Amcangyfrifwyd bod deng mil wedi eu harfogi i ymlid yr estroniaid, a hynny yng nghylch A. W. Wilson yn unig.[12]

Cyrhaeddodd cynrychiolydd Ffrainc i Ambatondrazaka, a'i ddilyn gan fil o filwyr Ffrengig, tywyll eu croen, arwydd pell-ach i D. D. Green ac A. W. Wilson y dylent aros yn Fenoarivo. Mwy a mwy digalon oedd y cenhadon o weld llosgi capeli, gyrru athrawon o'r ysgolion a'r ymosod didrugaredd ar gymaint o bobl. Teimlai A. W. Wilson yn gwbl ddiymadferth, 'My second term of service seems to have been so utter a fail-ure in every respect'.[13] Ysgrifennai ym mis Ebrill, 1896, ac erbyn mis Mai roedd ef, ei wraig a D. D. Green, yng ngafael y dwym-yn unwaith eto. Nid oedd yn bosibl gwneud dim gwaith, nac efengylu na dysgu, ac ni fedrai A. W. Wilson orffen ei esboniad ar y llythyr at yr Effesiaid.[14]

Nid oedd goleuni o gwbl. Meddiannwyd yr ysgoldy a chartref A. W. Wilson gan y milwyr ond mentrodd D. D. Green yn ôl i Antsihanaka. Nid oedd dim mwy o oleuni wrth edrych i'r de a'r gorllewin chwaith.[15] Dim ond tair ysgol, allan o dair ar hugain, oedd ar agor, y gwrthryfelwyr yn dal i losgi capeli a'r efengylwyr wedi ffoi i ddiogelwch. Ym marn A. W. Wilson daeth yr amser i'w wraig fynd yn ôl i Gymru, a hwyliodd hithau o Damatave, 6 Awst 1896.[16] Awydd y gŵr oedd ymuno â D. D. Green, ond yn ôl hwnnw gwaethygu oedd yr argyfwng yn ei gylch ef—y gwrthryfelwyr yn grymuso a'r amddiffynwyr yn gwanhau. Gorfodwyd y Cymro i symud i gartref Malagasaidd oherwydd meddiannwyd canolfan y Gymdeithas Genhadol gan y Ffrancwyr.[17] Cynhaliwyd y gwasanaethau yn y cartref y symudodd Green iddo. Llosgwyd yr ysbyty yn Imerimandroso, ond ar ôl ail-doi'r lle defnyddiwyd ef gan y Ffrancwyr.

Unwaith eto lloriwyd D. D. Green gan y dwymyn, ac un frawddeg oedd eisiau i gronni ei deimladau, 'I am at my wit's end'.[18] Un ofn pellach oedd y posibilrwydd y byddai'r Pabyddion yn cyrraedd. Yr ateb i'r bygythiad oedd cael gafael ar Brotestaniaid o Ffrainc i ddod yno gynted â phosibl. Wedi blino'n lân croesawodd D. D. Green y cyfle i gael seibiant, a dychwelodd i Gymru yn 1897. Seibiant dros dro oedd hwn, oherwydd yr oedd yn ôl ym Madagascar, gyda'i wraig y tro hwn, yn 1899. Gadael a wnaeth A. W. Wilson hefyd yr un flwyddyn, ond gadael a wnaeth ef i fynd i faes arall. Apwyntiwyd ef i ddysgu yn Ne America. Cyrhaeddodd Demerara, yn Guyana, yn 1898, a symud wedyn i Georgetown.

I lawr yn y De

Cythryblus oedd yr amgylchiadau yn y de hefyd. Cyrhaeddodd y newydd am gipio Antananarivo a'r cylch tua chanol Hydref 1895. Meddiannwyd sawl cylch gan ofn oherwydd dyfodiad y Ffrancwyr i'r Ynys, ofn y caeid yr ysgolion ac ofn y byddai'r Ffrancwyr yn delio'n greulon â hwy. Dyma oedd y dystiolaeth oddi wrth Thomas Rowlands ac Edwyn Pryce-Jones.[19] Un cysur i'r cenhadon a'r bobl oedd, bod gallu gan y Ffrancwyr i gadw'r Hova yn eu lle. Roedd penaethiaid y llwythau eraill yn hynod o falch o hyn, er na wyddent yn iawn sut oedd ymateb i'r newidiadau. Cyfeiria Thomas Rowlands at lywodraethwr ei gylch yn tin-droi fel plentyn bach, heb wybod beth yn y byd i'w wneud.[20] Symudwyd canolfan llywodraeth leol i Ambalavao, a'r canlyniad oedd dirywiad ym masnach y lle a chollwyd yr Hova, sef y bobl fwyaf galluog, a gadael y Betsileo a oedd yn llawer mwy anodd delio â hwy.

Un o'r dynion a glywodd am ryddhau'r caethion oedd gŵr a oedd yn bennaeth ymhlith y Bara.[21] Gwyddai i'w ferch fach, Rafotsy, gael ei chipio a'i gwerthu ond ni wyddai beth a ddigwyddodd iddi wedi hynny. Heb yn wybod iddo yntau cyrhaeddodd y gaethferch i Ambohimandroso, lle y cludwyd hi o gwmpas er mwyn ei gwerthu, ond gan ei bod mor ifanc nid oedd neb â diddordeb ynddi. Trugarhaodd un o'r credinwyr wrthi, ei phrynu am ddwy bunt, a rhoi cartref cysurus iddi. Priododd y ferch ifanc Rakalavao, sef enw newydd Rafotsy, dechrau mynychu'r ysgol Sul, chwilio'r Ysgrythur a dod i ffydd yn yr Arglwydd Iesu Grist.

Cyn diwedd 1896, ar ôl crwydro ardaloedd lawer, daeth y tad i Ambohimandroso, a gofynnodd i wraig ifanc ar y stryd a wyddai rhywbeth am ferch o'r enw Rafotsy, ac er mawr syndod iddo, dywedodd hithau mai dyna oedd ei henw hi. Adroddodd ei hanes, cadarnhawyd hwnnw gan dystion, ac nid oedd amheuaeth o gwbl bod y tad a'i ferch wedi dod o hyd i'w gilydd. Yr un a'i cipiodd oedd ei hewythr, ac yn ôl deddf anysgrifenedig y llwyth dylid ei ladd, ond perswadiodd Rakalavao y teulu i beidio â gwneud hynny. Yn lle ei ladd ef, lladdwyd ychain i ddathlu dyfodiad un a fu farw ond a ddaeth yn fyw drachefn. Defnyddiwyd hi'n helaeth yn yr eglwys yn Ambohimandroso, fel athrawes ysgol Sul ac unawdydd, ond uwchlaw popeth roedd merch y tywysog yn dywysoges mewn gweddi.[22]

Nid dyfodiad y Ffrancwyr oedd yr unig chwyldro yn ystod y blynyddoedd hyn. Hyd yn oed cyn eu dyfodiad teimlwyd ymysgwyd ymhlith llawer o'r llwythau mewn sawl ardal. Ar ôl dyfodiad yr estroniaid cododd amryw ohonynt mewn gwrth-ryfel chwerw, fel yn y gogledd, a rhoi penrhyddid llwyr i'w teimladau yn erbyn estroniaid a Christnogion. Dinistriwyd capeli, crewyd arswyd gan eu hymosodiadau sydyn, a chaws-ant fodlonrwydd mawr wrth ladd amryw o'r Cristnogion. Beiwyd y credinwyr am y newidiadau a ddigwyddodd, a'r unig ateb i arweinwyr y llwythau oedd adfer yr hen dduwiau. Ymosododd byddin afreolus ar Ambohimandroso, a'r tŷ Ewropeaidd cyntaf a welsant oedd cartref William a Lucy Johnson, a'i merch bum mlwydd oed, Blossom, cenhadon gyda'r Crynwyr. Mynnwyd arian oddi wrthynt, lladdwyd y tad, a phan aeth y fam a'r un fach allan i'r ardd, dilynwyd hwy gan y milwyr a'u picellu i farwolaeth.[23]

Ni chafodd neb eu harbed, y plant, y gwragedd na hyd yn oed y gwahangleifion a oedd o dan ofal y cenhadon. Ymos-odwyd ar y canolfannau yn Ansirabe (cenhadon Llychlyn), a Fianarantsoa (LMS). Yn Ansirabe trowyd y gwahangleifion allan o'u cartref, llosgwyd yr eglwys, ymosodwyd ar y gwr-agedd, ond tra oedd hynny'n digwydd cyrhaeddodd y milwyr Ffrengig i'w harbed.

Llifodd y dylanwad Ffrengig dros y wlad, drwy'r llywod-raeth, y milwyr a'r Eglwys Babyddol, yn arbennig y Jeswitiaid. Cyn hyn roedd y Pabyddion wedi cyfrannu'n helaeth i fywyd y wlad yn wyddonol a llenyddol, ond yn awr troesant yn ymosodol, a gwneud eu gorau i ddileu Protestaniaeth. Cyh-oeddwyd mai llyfr yr Eglwys oedd y Beibl, a gwell ei losgi na'i roi i'r bobl gyffredin. Dilynwyd y Protestaniaid o fan i fan, llesteiriwyd eu gwaith, a meddiannwyd eglwysi a adeiladwyd ganddynt. Un o ddulliau mwyaf effeithiol y Pabyddion oedd cwyno wrth y llywodraeth, a chyhuddo'r Protestaniaid o anufudd-dod.

Yn ei adroddiad am 1897 dywed Thomas Rowlands i bym-theg o'r gweithwyr Hova yn Betsileo gael eu halltudio i Imerina, yn cynnwys tri gweinidog, pedwar efengylydd a phrifathro'r ysgol ganolog.[24] Dirwywyd amryw a charcharwyd eraill.[25] Dioddefodd gwaith meddygol Thomas Rowlands hefyd. Yn ôl y ddeddf roedd yn ofynnol cael cymhwyster Ffrengig i weithredu fel meddyg, ond bu'r awdurdodau'n drugarog wrth y Cymro a gadael iddo weithredu o fewn terfynau arbennig. Sylweddolent fod angen dirfawr am cwinîn i'r malaria, gwelent allu Thomas Rowlands i ddelio â niwmonia a thynnu dannedd, ac mewn sawl achos llwyddodd i ddelio â chlwyfau y rhai a niweidiwyd gan grocodeil.[26] Er hynny, cyfyngwyd ar ei gylch. Hefyd arferai'r Jeswitiaid ddwyn poteli o foddion a baratowyd gan y cenhadwr, a'u danfon at yr awdurdodau er mwyn eu harchwilio. Rhwng pawb a phopeth Ambohimandroso a ddioddefodd fwyaf, a gwyrth oedd y ffaith i unrhyw waith o gwbl oroesi'r storm.[27]

Yr un oedd y stori yn adroddiad D. M. Rees pan ddanfonodd at y cyfarwyddwyr o Ambositra cyn diwedd Mai 1897.[28] Carcharwyd pedwar gweithiwr, dirwywyd a charcharwyd pedwar arall. Gwysiwyd ugain o gredinwyr i ymddangos o flaen yr awdurdodau yn Fianarantsoa. Carcharwyd amryw, dirwywyd eraill ac alltudiwyd nifer ohonynt i Imerina.

Yn yr un adroddiad dywed D. M. Rees bod deg ar hugain o gredinwyr Ambohimandroso yn y carchar a deugain wedi eu halltudio. Trawsnewidiwyd cyflwr yr eglwysi dros nos, fel sy'n amlwg o'r darn hwn o adroddiad y cenhadwr:[29]

On May 2nd we received 14 into church membership & baptized 7 & had a congregation of 500 in the afternoon. On the following Sunday there were only three men & a few women & children between the two chapels in the morning. In the afternoon about a 100, 80 or more perhaps were children.

Gan fod y credinwyr yn cwrdd ar wahân i bawb arall, ofnai'r llywodraeth eu bod yn cynllwynio yn erbyn y Ffrancwyr. Dyna un o'r prif resymau dros ffyrnigrwydd yr erlid. Agwedd annheg ar y gwrthwynebiad oedd arestio a charcharu heb dreial.

Y sefyllfa yn gyffredinol

Rhydd Robert Griffith grynodeb byr o'r erchyllderau yn ystod cyfnod o ddwy flynedd ym Madagascar yr adeg hon.[30] Dinistriwyd saith cant a hanner o eglwysi, pum cant yng ngofal yr LMS, lladdwyd pum cenhadwr ac un plentyn, bu raid i amryw o'r efengylwyr a'r gweinidogion brodorol ffoi am eu heinioes, a meddiannwyd eu heiddo gan y gwrthryfelwyr. Â'i law gadarn llwyddodd y Cadfridog Gallieni, a ddaeth i awdurdod cyn diwedd 1896, i dawelu'r storm i raddau, ond yr oedd ef yn rhagfarnllyd yn erbyn yr LMS, gan fod ei wleidyddiaeth a'i Babyddiaeth yn gwau i'w gilydd yn ei gredo.

Ym maes addysg, llwyddodd y llywodraeth i gryfhau ei gafael ar y wlad.[31] Rhoddwyd cymhorthdal i genadaethau Ffrengig, Pabyddol a Phrotestannaidd, a'i gwneud hi'n anodd i gymdeithas fel yr LMS gyflawni ei gwaith addysgol. Ym Mawrth 1897 trosglwyddwyd ysgolion elfennol yr LMS i Gymdeithas Brotestannaidd Paris, ond roedd rhyddid i genhadon yr LMS fynd i mewn i roi addysg grefyddol.

Yn 1897 ymwelodd y Parch. Wardlaw Thompson a Mr Evan Spicer â Madagascar, ar ran yr LMS, a bu hyn yn gyfrwng i wella'r berthynas rhwng yr eglwysi Protestannaidd, y cenhadon a'r llywodraeth Ffrengig.[32] Un peth arwyddocaol a ddigwyddodd oedd trosglwyddo peth o waith y Genhadaeth i gymdeithasau eraill, fel y digwyddodd ym maes addysg. Hefyd, sylweddolodd Gallieni mai polisi ofer oedd erlid y Protestaniaid, pobl a oedd yn ddinasyddion da, ond er hynny roedd ei law yn dynn ar y llyw ym Madagascar.

Dyfalbarhau a wnaeth y cenhadon, ond dychwelodd D. D. Green am seibiant i Brydain yn 1897. Oherwydd ei iechyd, a'r newidiadau gyda dyfodiad y Ffrancwyr, dychwelodd Edwyn Pryce Jones yn 1898, a mynd wedyn, yn 1899, i Papua, Guinea Newydd, lle y treuliodd chwe blynedd ar hugain. Felly collwyd dau weithiwr, Edwyn Pryce Jones ac A. W. Wilson, ond roedd dau arall ar y ffordd o Gymru i Fadagascar, a rhaid sôn ychydig amdanynt hwy a'u gwaith.

Robert Griffith a William Evans

Gŵr o Gorwen ym Meirionnydd, oedd Robert Griffith, ac yno yng nghapel yr Annibynwyr, y derbyniwyd ef yn aelod yn 1885, pan oedd yn ddeuddeng mlydd oed, y capel lle y magwyd D. D. Green hefyd.[33] Gadawodd yr ysgol leol yn bedair ar ddeg mlydd oed, mynd yn ugain oed i Goleg y Bala, ac yna i Goleg Bala-Bangor. Ar wahân i'w gartref, a'i fam eglwys, dylanwadwyd arno gan eglwys Ebeneser, Bangor, a'i ddarllen. Hoffai'n fawr ymgolli yn *Pilgrim's Progress, Religions of China,* Legge, *The Story of the LMS* gan Sylvester Horne, ac yn y Gymraeg, gwaith Dafydd ap Gwilym. Treuliodd y myfyriwr ifanc beth amser ym Mharis yn dysgu Ffrangeg, arwydd o'r newid a ddigwyddodd ym Madagascar, a Robert Griffith oedd y cyntaf o Gymru i orfod dysgu'r iaith honno cyn mynd i'r Ynys. Ordeiniwyd ef ym 1899, a gadawodd ef a'i wraig, Mary Gertrude Hotchkins, Edgbaston, Birmingham, am Fadagascar 11 Awst yr un flwyddyn. Neilltuwyd hwy i faes Ambohimanga. Nid Robert Griffith a'i wraig oedd yr unig rai i adael am Fadagascar 11 Awst 1899. Yr un diwrnod gadawodd William Evans, a'i wraig Maggie Williams, Ynys-lwyd, Aberdâr. Ganwyd William yn y Meysydd, Glandŵr, Abertawe, 31 Hydref 1869, ei addysgu yng Ngholeg y Gorllewin, a'i ordeinio yn ei fam eglwys, Siloam, Pentre Estyll, 20 Mehefin 1899.[34] Maes y ddau oedd Ambatonakanga, Antananarivo.

Mae'r flwyddyn 1899 yn arwyddocaol yn hanes y gweith-wyr Cymraeg ym Madagascar. Y flwyddyn honno dychwelodd D. D. Green, ar ôl seibiant haeddiannol yng Nghymru. Y tro hwn, nid dychwelyd i'w hen faes a wnaeth, ond mynd lawr i'r de i blith y Betsileo. Ymunodd â Thomas Rowlands a D. M. Rees i gadarnhau'r rhengoedd yn y rhan honno o Fadagascar. Cyn diwedd y flwyddyn cyrhaeddodd dau bâr o Gymry i lafurio yn Antananarivo a'r cylch. Dilynwn eu hynt cyn gweld beth oedd hanes y tri Chymro yn is i lawr ar yr Ynys.

Y gwaith yn Imerina

Rhannwyd talaith Imerina, o ran gwaith yr LMS, yn un ardal ar ddeg, chwech ohonynt a'u mam eglwys yn y brifddinas, ac aelodaeth yr eglwysi yn amrywio o tua pymtheg i thua saith deg. Ar wahân i'r eglwysi roedd pedair canolfan wledig. Yn Ambatonakanga, cylch William Evans, y lleolwyd un o eglwysi'r merthyron. Hyd 1899 roedd hanner cant a phump o eglwysi yn y cylch, ond dim ond un gweinidog cyflogedig. Dyma hen gylch David Griffiths, ond tynnwyd ei gapel ef i lawr flynyddoedd lawer yn ôl. Ar ôl dyfodiad y Cymro ail-drefnwyd y cylch, a chafodd ef gyfle i arolygu'r gwaith. Yng nghysgod un arall o eglwysi'r merthyron, sef Ambohipotsy, y tyfodd y gwaith yn Ambohimanga, maes llafur Robert Griffith. Y cylchoedd eraill oedd Amparibe, Analakely, Faravohitra ac Ampamarinana.[35]

Hawliai pob maes fwy o sylw ar ôl dyfodiad y Ffrancwyr, yn arbennig maes addysg. Llwyddodd yr LMS i ddal gafael ar amryw ysgolion, a thystiolaeth y brodorion oedd bod y rhain yn well nag ysgolion y llywodraeth. Y prif reswm dros ddweud hyn oedd y cyfle i ddysgu'r Ysgrythur gyda'r LMS.[36] Mewn un man, lle'r oedd ysgol y llywodraeth, mynnodd y rhieni gael yr efengylwr lleol i ddysgu eu plant yn yr Ysgrythurau. Mewn man arall, lle'r oedd y rheolwr yn wrth-Ewropeaidd, mynychai llawer mwy o blant ysgol yr LMS nag ysgol y llywodraeth. Mewn trydydd lle y cyfeiria Robert Griffith ato, nid oedd ysgol LMS, ond plediai'r rhieni arno i agor un, gan addo talu pum swllt y flwyddyn a chyflenwad o reis i'r athro. Poen enaid i Robert Griffith oedd hyn; carai ddechrau ysgol, ond gwyddai'n iawn mai dwysáu gwrthwynebiad y Ffrancwyr fyddai'r can-lyniad a gohiriodd y penderfyniad, dros dro beth bynnag.[37]

Roedd gwrthwynebiad o du'r Ffrancwyr ac anawsterau ariannol yn llesteirio cefnogaeth y cyfarwyddwyr yn Llundain.

Nid achos i laesu dwylo oedd hyn yn ôl Robert Griffith, ac apeliodd at y cyfarwyddwyr i gefnogi ehangu'r gwaith addysgol yn Ambohimanga. Gwyddai'n iawn am y cyfyngder yn Llundain, ond dylid gwneud rhywbeth yn fuan yn ei gylch ef yn Ambohimanga. Dyma gylch o ddeng mil ar hugain o boblogaeth, a dim ond dwy ysgol yn cyfrannu addysg uwchradd, un gan yr LMS a'r llall gan yr SPG, a oedd mewn perygl o gael ei meddiannu gan y Pabyddion. Codwyd adeilad yr LMS ddeng mlynedd ar hugain cyn hynny, ac roedd yn gwbl annigonol fel canolfan. Gorfodwyd hwy i gynnal y cyfarfodydd gweddi a'r astudiaethau beiblaidd y tu allan, ac wedi gorffen neilltuwyd dwy ran o dair i'r capel a'r rhan arall i'r tŷ ysgol. Mae'n wir bod y merched yn weddol gyfforddus, ond nid felly'r bechgyn. Roedd yn ofnadwy o gyfyng arnynt, bron bedwar cant ohonynt.[38]

Wrth law roedd y llywodraeth a fyddai'n fwy na pharod i agor ysgol, ond ni fyddai hynny'n foddhaol gan nad oedd dysgu'r Ysgrythur yn ei hysgolion. Nid oedd yn bosibl, chwaith, anfon y bechgyn i Antananarivo, oherwydd nid oedd lle yn yr ysgolion yno. Dadleuai'r cenhadwr mai'r unig ateb oedd codi adeilad yn Ambohimanga, a'i awgrym oedd y gellid defnyddio arian o elw'r wasg. Dim ond yn rhannol y sylweddolwyd breuddwyd Robert Griffith.

Oherwydd y newidiadau, yn boliticaidd ac addysgol, bu'n rhaid i'r cenhadon neilltuo mwy a mwy o amser i'r agweddau addysgol a meddygol. Credent bod perygl yn hyn, sef esgeuluso'r wedd grefyddol, ysbrydol. Fel arfer gwaith y prynhawn oedd y fferyllfa, a golygai hyn bod darn da o'r dydd yn cael ei neilltuo i'r agwedd hon. Y cysur i Robert Griffith oedd gwybod bod sawl un yn fwy parod i wrando'r efengyl, oherwydd y gofal corfforol a dderbyniwyd. Hefyd, roedd ffrwyth o'r ysgolion. Pan aeth Robert Griffith ar daith i ymweld â rhai o'r ysgolion gwledig, llonnwyd ef yn fawr ar y Sul, pan welodd amryw o'i gyn-ddisgyblion yn darllen yr Ysgrythur ac yn dysgu'r canu yn y gwasanaethau.[39]

135

Er mwyn hyrwyddo'r gwaith roedd teithio hwylus yn fantais aruthrol. Ar hyd y blynyddoedd dibynnwyd cymaint ar gerdded, ac i raddau llai ar y ceffyl. Erbyn tua 1900, dadleuai'r cenhadon y dylent gael eu treuliau am deithiau ar geffyl, a phan oedd hynny'n bosibl dylid darparu beic at eu gwasanaeth.[40] Cyn i'r ganrif gerdded ymhell daeth y trên i'w cario, ac anghofiwyd am y ceffyl a'r beic.

Betsileo

Llafuriai Thomas ac Elisabeth Rowlands, D. M. Rees a Lizzie, yn Ambohimandroso, ond bu'r Reesiaid yn gweithio yn Ambalavao hefyd. Fianarantsoa oedd maes D. D. Green a'i wraig i gychwyn, ac yna Alakamisy Tenina. Brwydro a fu hanes y chwe cenhadwr. Medrai'r awdurdodau Ffrengig fod yn anodd, ond yn 1900 daeth rheolwr newydd i'r ardal, a'i ysbryd yn ddigon cyfeillgar. Dofodd hyn ychydig ar lid y Pabyddion hefyd. Fel yr oedd cysur ar un llaw, roedd gofid ar y llall. Profwyd anhawster mawr i fod ar delerau da â Chymdeithas Genhadol Paris, a gofid i genhadon yr LMS oedd hyn gan fod y Gymdeithas Ffrengig yn Brotestannaidd.

Ni allai'r cenhadon osgoi'r dwymyn, a dechrau 1901 roedd D. M. Rees yn ddifrifol wael. Aeth am gyfnod i Antsirabe, a chredodd yn bendant i hyn arbed ei fywyd.[41] Gorfodwyd ef a'i wraig i ddychwelyd i Brydain am seibiant. Siom arall i'r cenhadon oedd y diffyg ffrwyth yn y gwaith, yn addysgol ac ysbrydol. Llawenydd anarferol felly i Thomas Rowlands oedd y newydd o Vohitrosy, a oedd daith ddau ddiwrnod i'r dwyrain, yn sôn am bedair ysgol lewyrchus.[42]

Disgwyliai'r Cymry'n gyson am gymorth o'r hen wlad. Ysbeidiol oedd hwnnw mewn gwirionedd, a hynny'n siom pellach i'r cenhadon. Awgrymodd Thomas Rowlands i'r cyfarwyddwyr yn Llundain y dylid gwneud ymdrech arbennig yng Nghymru i hybu'r diddordeb ym Madagascar. Diolchodd am y daith a wnaeth y Dr Owen Evans yn ystod 1902, a dyma'r math o beth y dylid ei ddatblygu. Awgrymodd Thomas Rowlands enwau gwŷr cymwys i'r gwaith hwn: Eynon Davies, Elfed Lewis, Thomas Stephens (o Loegr), a William Davies, Llandeilo, H. M. Hughes, Caerdydd, a Picton Jones, y cenhadwr, o Gymru. Un anhawster oedd atgofion o'r dadlau a fu, yn arbennig dadl gecrus y cyfansoddiadau ymhlith yr Annibynwyr.[43] O dan arweiniad Michael D. Jones yr oedd un garfan, yr 'Old con', fel y galwai Thomas Rowlands hwy, ac yr oeddynt hwy yn wrthwynebus i'r LMS. Erbyn hyn credai bod to newydd o weinidogion wedi codi, to a fyddai'n barod i gefnogi'r dystiolaeth ym Madagascar.

Dychwelodd D. M. Rees a'i wraig i Ambalavao yn 1903, man a oedd erbyn hynny yn ganolfan llywodraeth leol, ac ychwanegodd hyn yn fawr at bwysigrwydd y lle. Yno, eisoes, oedd y farchnad fwyaf yn Betsileo. Cynyddodd busnes, a bu hyn yn elw nid yn unig i'r dref ond i'r wlad oddi amgylch hefyd. Digon tlodaidd, er hynny, oedd y capel, a rhy fychan i'r gynulleidfa. Felly un o dasgau cyntaf D. M. Rees oedd adeiladu tŷ cenhadol a chapel, capel a gynlluniwyd gan y Parch. James Sibree. Yn ôl y ddeddf Ffrengig roedd yn rhaid codi ysgoldy hefyd, a gwnaethpwyd hynny er mwyn diogelu y cant ac ugain o ddisgyblion a oedd o dan hyfforddiant y cenhadon.[44]

10
Pan Ddêl Efe

Erbyn Mawrth 1905 gwelai Thomas Rowlands arwyddion
pendant o waith anarferol yr Ysbryd Glân . . . Gostegodd y
gwynt ysbrydol ychydig yn ystod 1906, ond ni pheidiodd â
chwythu . . . dywedwyd am y sefyllfa eglwysig yn 1910,
'The trend all along has been upwards.'

Yn gynnar yn 1905 braidd yn ddigalon oedd amryw o'r cenhadon ym Madagascar. Ar hyd Ionawr bu gwraig J. E. Thorne, Antananarivo, yn wael, a gofid i'w deulu oedd clywed i'r cyfarwyddwyr yn Llundain benderfynu peidio â thalu arian i blant cenhadon dros ddeunaw mlwydd oed. Ergyd drom oedd hon oherwydd roedd saith o'r plant dros yr oedran hwnnw.[1] Trawyd gwraig Robert Griffith gan salwch a'i gadael yn anabl, nid oedd ei baban yn dda, dioddefai'r nyrs gan wddf tost, a lloriwyd y wraig a gynorthwyai yn y tŷ gan y dwymyn.[2]

A beth am Thomas Rowlands a'i deulu? Am un ar ddeg o'r gloch un nos Sadwrn trawyd eu cartref a'r ysgoldy oedd ynghlwm wrtho gan fellt, a llosgwyd y rhan fwyaf o'r adeilad. Oni bai fod haen drwchus o fwd ar y to gwellt buasai'n waeth fyth a'r tân wedi lledu i fannau eraill, ond oherwydd natur y to cawsant gyfle i'w ymladd. Gweithiodd y brodorion yn ddiflino am oriau lawer. Roedd y tân yn dal i losgi yn y bore a daeth y gwragedd ynghyd i orffen y gwaith a ddechreuwyd yn ystod y nos. Arbedwyd y cenhadon ond bu'n rhaid iddynt symud i hen ganolfan y Gymdeithas Genhadol, lle treuliodd Thomas Rowlands ei wyth mlynedd gyntaf. Gan fod elw o waith meddygol Thomas Rowlands, neilltuwyd hwnnw i'r gwaith o atgyweirio, a thalodd y cyfarwyddwyr am yr hyn oedd yn weddill o'r costau.[3]

Dyfodiad yr Ysbryd

Ni wnaeth y tywyllwch lethu'r cenhadon, a thra oeddynt yn dyfalbarhau'n ffyddiog, llewyrchodd goleuni hyfryd ar eu llwybr. Ni newidiwyd eu hamgylchiadau personol, ond daeth yr Ysbryd i'w bywhau, a rhoi'r gallu iddynt i gyflawni gwaith anarferol. Mewn nifer o gyfarfodydd profwyd mesur o fywhad ysbrydol, a chredai amryw o'r cenhadon bod bendith, fel yr un a brofwyd yng Nghymru, ar gyrraedd yr Ynys. Pan glywodd J. E. Thorne am y Diwygiad yng Nghymru, gweddïodd am i'r don dorri dros Brydain gyfan a bywhau'r Gymdeithas Genhadol hefyd. Yr un oedd dymuniad Arthur Huckett pan glywodd yntau am y deffro.[4] Disgwyliai Robert Griffith yn eiddgar am brofi'r awelon a chwythai yn ei famwlad, ac erbyn Mawrth 1905 gwelai Thomas Rowlands arwyddion pendant o waith anarferol yr Ysbryd Glân. Yn wir, roedd cyffro ym mrig y morwydd mewn sawl man ym Madagascar.

Yr arwydd o fendith i Robert Griffith yn Antananarivo oedd y brwdfrydedd eithriadol yn ei ddosbarth beiblaidd wythnosol, a'r un arwyddion mewn dosbarth arall, cyfagos.[5] I lawr yn y de, symudodd D. D. Green i ganolfan newydd yn Alakamisy, ac yno hefyd roedd dyhead am ddyfnhau'r bywyd ysbrydol.[6] Trefnwyd cyfres o gyfarfodydd, a chwythodd yr Ysbryd yn nerthol, nes peri i amryw gyffesu pechodau, a bu eraill yn gweddïo a moliannu.

I Thomas Rowlands yr arwydd oedd y cymodi oedd yn digwydd ymhlith y Cristnogion.[7] Bu cweryla yn yr eglwys yn Ambohimandroso, a methiant â fu pob ymdrech ar ran y gweinidog ac eraill i sicrhau heddwch. Yn awr dyma wraig a fu ynghanol yr helynt, yn codi ar ei thraed mewn oedfa, i apelio am gymod. Argyhoeddwyd y ddwy ochr o'u cyfeiliorni, cyffeswyd hynny a selio'r cymodi trwy gael llun o'r ddau grŵp gyda'i gilydd. Clywodd y gwragedd yn Ambalavao am hyn, a

hwythau hefyd ynghanol anghydfod, a'r un oedd y canlyniad.
Os oedd syched am y Gair, cyffesu beiau, a'r Ysbryd yn cyn-
iwair o un lle i'r llall, roedd bendith eisoes, ond sail hefyd dros
ddisgwyl bendith helaethach.

Profwyd y fendith yn fwy nerthol mewn sawl man. Dysgu
yn yr ysgol oedd James Sharman a'i wraig. Un o lyfrau'r maes
llafur yn ysgol y bechgyn oedd Efengyl Ioan. Mae'n amlwg i'r
Gair gael ei ddyfrhau gan yr Ysbryd oherwydd mewn un
diwrnod cyffesodd cant ac ugain o fechgyn ifanc iddynt gys-
egru eu bywydau i'r Gwaredwr, ac ugain y diwrnod canlynol.
Cariwyd y neges i ysgol y Crynwyr lle y gwnaeth cant o ddis-
gyblion gyffesu Crist yn gyhoeddus, yn dwyn ar gof i James
Sharman fendith debyg rai blynyddoedd cyn hynny.[8]

Yn Ambohimandroso synnai Thomas Rowlands, fel Barn-
abas gynt yn Antiochia (Actau 11:23), pan welodd ras Duw.
Amlygwyd gweithrediadau'r Ysbryd Glân yn ystod Ebrill
1905, ac yn nerthol iawn yn gynnar ym mis Mai. Yn ôl un o'r
cenhadon roedd y digwyddiadau yn union fel y rhai yn y
Diwygiad yng Nghymru.[9] Derbyniai Thomas ac Elisabeth
Rowlands adroddiadau o Gymru, a'u darllen i'r credinwyr o
dan eu gofal,[10] a llonnwyd eu calonnau gymaint nes iddynt
gyfamodi i ymostwng gerbron Duw ac i weddïo am yr Ysbryd.
'Not only did the news, which every mail from home brought,
intensify the longing until it glowed into prayer, but it became
the current topic of conversation with many.'[11]

Dyma ddisgrifiad Thomas Rowlands o gyfarfod y nos
Wener cyntaf ym mis Mai, sef un o gyfarfodydd y 'Christian
Endeavour'. Bendithiwyd y bregeth ar Marc 10:46-52:[12]

May 6th, at the close of a meeting a few of the most earnest
came back to pray and confess sin. In confessing they broke
down one after another. Suddenly there was a scene of
wildest confusion, some sobbing, some praying or singing
scraps of penitential hymns. The head teacher (conspicuous
from the first for his holy zeal) was on his face on the floor

weeping and praying. There was not a dry eye there. This went on for half an hour or more, then as we feared for physical results, we sang a hymn or two, and that calmed them down. It was getting dark, so we broke up; but they got together again, and late at night continued to praise and pray. Thus, we had the earnest of more to follow, and no one doubted that we had our Pentecost.

Y newyddion o Gymru, felly, oedd un o'r prif ddylanwadau ar yr adfywiad ym Madagascar. Ar wahân i hyn profwyd adfywiadau llai cyn 1905. Roedd arweinwyr profiadol yno, pwysleisiwyd yn gyson bwysigrwydd gweddi, ac fel rhai a wyddai am ormes roedd credinwyr Madagascar wedi gorfod pwyso'n drwm ar eu Duw.

Yn yr adroddiad am y cyfarfod nos Wener, cyfeiriwyd at 'olygfeydd gwyllt', a llosgodd ambell dân dieithr dros dro, ond oherwydd eu deall ysbrydol ni fu'r cenhadon yn hir cyn arllwys dŵr ar bob un ohonynt. Y Sul ar ôl y cyfarfod arbennig hwn, bedyddiwyd pedwar ugain a thri, arwydd sicr o fendith. Gweddïwyd cyn i'r fendith ddod, a pharhawyd i weddïo'n daer yn ystod yr adfywiad. Gan fod cyfarfodydd blynyddol Betsileo yn agosáu, trefnwyd dau gyfarfod i eiriol am bresenoldeb Duw, a chreodd hyn syched dyfnach yn y credinwyr am brofi'n helaethach o wenau Duw.

Cyrddau blynyddol Mai

Diwrnod gwlyb, llwydaidd, oedd 25 Mai, diwrnod cyntaf y cyrddau blynyddol, ond daeth tua wyth cant o'r wlad i ymuno â'r addolwyr yn Fianarantsoa, ac felly roedd dros fil yn bresennol. Llanwyd y ddau gapel i'r ymylon, a Thomas ac Elisabeth Rowlands, ac Arthur Huckett a'i wraig yn amlwg yng ngweithrediadau'r ŵyl. Digyffro ar y cyfan oedd y diwrnod hwn, ond bu cyfarfod o chwe chant o wragedd yn ysbrydiaeth iddynt hwy eu hunain ac i eraill. Y bore wedyn sylweddolwyd yn fuan bod y nerth o'r uchelder ar waith. Roedd bywyd newydd yn y canu, cododd amryw i gyffesu pechodau a gwelid rhai o dan argyhoeddiad o bechod yn syrthio i'r llawr. Pan dderbyniwyd adroddiadau o'r gwahanol ardaloedd am waith yr Ysbryd yn ystod y mis a aethai heibio, bu'n achos gorfoledd a moliant. Anodd oedd gadael y cyfarfod pan ddaeth i ben ymhen tair awr a hanner. [13]

Yn y prynhawn trodd yr aelodau eglwysig i'r capel mwyaf, a'r lleill i'r capel arall i gyfarfod efengylu, pan ymatebodd deugain a chwech i alwad yr efengyl. Parhaodd y gorfoleddu a'r gweddïo ar ôl i'r ddau gyfarfod orffen, amryw yn troi i gartrefi'r credinwyr lleol, yn cynnwys cartref Thomas ac Elisabeth Rowlands, lle roedd pob ystafell yn llawn o gredinwyr brodorol. Yno roedd cyfle i fwynhau cymdeithas mewn grwpiau llai. I'r Cymro a'i wraig dyma Bentecost arall. Wrth adael, diolchai'r cannoedd am adfywiad yn eu hysbrydoedd, ac am gael eu harfogi yn erbyn galluoedd y tywyllwch ar ôl mynd adref.[14]

Iddynt hwy, nid dynion yn unig oedd i'w herbyn, ond ysbrydion aflan, dieflig hefyd. Dim ond gallu goruwchnaturiol a fedrai orchfygu'r fath bwerau. Profwyd y gallu hwn yn y cyfarfodydd, a rhaid oedd yn awr ei sianelu i fyw bob dydd. Bu Elisabeth Rowlands yn llygad-dyst o ddigwyddiad a ddengys yn glir yr angen am yr arfogaeth hon. Mewn un cyfarfod gwelodd berson, a oedd yn swynwr, yn crynu drwyddo oherwydd bod un o'r demoniaid yn ei rwygo, ond arwydd oedd hynny ei fod yn gadael y corff yn derfynol.[15]

Y prifathro a oedd mor amlwg yn y cyfarfod hynod hwnnw ar y nos Wener oedd Rakotovao, a gwnaeth ef ac Elisabeth Rowlands gychwyn ar weinidogaeth deithiol.[16] Cerddent o bentref i bentref, ond cyn mynd i le arbennig danfonent neges i ddweud eu bod ar y ffordd, er mwyn i'r credinwyr baratoi ar gyfer eu hymweliad. Cynhaliwyd cyfarfodydd maith dros ben, ac ar ôl pob cyfarfod neilltuwyd amser i gynghori'r dychweledigion a'r rhai oedd yn chwilio am y ffordd i'r bywyd tragwyddol. Calonogwyd hwy yn fawr gan gyfarfodydd Mai, a fu'n gymorth iddynt hwy yn bersonol ac yn hwb i'w tyst-iolaeth ymhlith y bobl.

Bendithiwyd pobl Charles Collins hefyd, yn Ambohima-hasoa. Bu amryw ohonynt yng nghyfarfodydd Mai, ac wrth ddychwelyd llosgai eu calonnau wrth iddynt weddïo Duw am fendith ar eu cylch eu hunain.[17] Y Sul cyntaf wedi dychwelyd cafwyd cyfarfod gweddi cyn yr oedfa. Ar gychwyn yr oedfa ei hun, cododd bachgen ifanc ar ei draed, caethwas a ryddhawyd, bachgen digon anwybodus, ac adroddodd yn fanwl yr hyn a welodd ac a brofodd yn y cyfarfodydd yn Fianarantsoa, gydag arddeliad anghyffredin. Rhyddhawyd grymusterau ysbrydol yn yr oedfa, a'i throi hi i fod yn gyfle i weddïo, moliannu, chwilio'r Ysgrythurau a chyffesu pechodau. Mewn dosbarth ysgol Sul yn y prynhawn dechreuodd y merched wylo mor uchel nes bod pobl oddi allan yn troi i mewn i weld beth oedd yn digwydd. Danfonwyd am y gweinidog a'i wraig i ddelio â hwy, ac wedi siarad yn fyr â'r merched, cynghorwyd hwy i fynd i oedfa oedd i'w chynnal yn y capel. Dyna a wnaethant a mynd i oedfa lle y bu gweddïo a chyffesu pechodau.[18]

Roedd y cenhadwr a'i wraig yn hwyr yn dychwelyd o Fianarantsoa, a mawr oedd eu syndod wrth weld y cyffro ymhlith eu pobl. Mewn amser byr, ni nodir yr union gyfnod, del-iwyd â chant pedwar deg ac un a hawliodd ddod i brofiad ysbrydol, pedwar deg ac un o'r ysgolion dyddiol a'r ysgol Sul, tri ar hugain yn paratoi i fod yn athrawon, dau ar hugain yn aelodau eisoes, a hanner cant a chwech yn eu hailgysegru eu hunain. Trawsnewidiwyd yr holl eglwys. Nid addoli'r Sul yn unig oedd yn wahanol ond bywyd bob dydd y bobl. Mewn nifer o gartrefi casglwyd yr eilunod at ei gilydd, eu taflu allan, neu eu llosgi. Parchwyd y Sul yn fawr, ac un tad yn digolledu ei ferch oherwydd iddi wrthod gweithio ar y Sul.[19]

Yr un oedd y dystiolaeth gan Charles Collins ddiwedd 1905, ynglŷn â'r cyffroadau yn Ambohinamboarina, taith bedair awr o'i ganolfan.[20] Peth cyffredin iawn yn y gwasanaethau oedd i amryw weddïo yr un pryd, eraill yn cyffesu pechodau a llawer yn cymodi â'i gilydd. Mewn un cyfarfod bedyddiodd Charles Collins hanner cant ac un, ugain o ddynion, tair ar hugain o wragedd, tri disgybl a phum plentyn, pob un ohonynt, ar wahân i'r plant, wedi derbyn hyfforddiant grefyddol cyn eu bedyddio. Yn ei gartref yn y ganolfan derbyniai'r cenhadwr fagiau yn llawn eilunod, oherwydd gwell oedd gan rai dychweledigion wneud hyn, yn hytrach na'u llosgi'n ddirgel, fel prawf pendant i'r cenhadwr o ymgysegriad eu bywydau i'w Duw.

Gweithgarwch Elisabeth Rowlands

Nid oedd un o'r cenhadon yn croesawu'r deffro yn fwy nag Elisabeth Rowlands. Arwydd sicr iddi hi o fendith Duw oedd y 1,290 a'u cyflwynodd eu hunain i fod o dan arglwyddiaeth Iesu Grist mewn cyfnod o ddau fis, tua'u hanner wedi bod yn yr ysgolion, a'r hanner arall yn troi o baganiaeth. Mewn un rhan o'r gylchdaith, 'cymrodd rhywbeth tebyg i gyd symudiad cyffredinol le',[21] hynny yw, tröedigaethau torfol, nifer helaeth o bobl yn troi at y Gwaredwr yr un pryd. Croesawai Elisabeth Rowlands y wedd hon, gan bwysleisio bod eisiau gofal arbennig ar y dychweledigion. Cyfeiria at un arall o nodweddion y deffro, sef bod credinwyr yn gweddïo'n daer dros eu teuluoedd.

Disgrifia Elisabeth Rowlands daith a gymerodd i gyfarfod agor capel newydd, taith a olygai bod i ffwrdd am bedwar diwrnod.[22] Ar y ffordd, ar ddydd Sadwrn, cafodd gyfle i fynd i oedfa, a phan ddarllenwyd Luc 9:51-6, daeth ysbryd hunanymholiad dros y gynulleidfa i gyd. Bore Sul profwyd yr un argyhoeddiad o bechod, gydag amryw o bobl yn torri lawr yn llwyr. Aeth Elisabeth Rowlands ymlaen ar ei thaith am awr a hanner cyn cyrraedd y capel newydd. Ar ôl cael cwpanaid o de, aethpwyd i'r oedfa, ac o dan weinidogaeth y Gair roedd amryw o bobl mewn ing enaid, 'rhai yn syrthio i lawr wedi eu llwyr orchfygu; eraill yn ymdrechu mewn gweddi ger bron Duw dros berthnasau a chyfeillion ydynt yn aros yn nhywyllwch paganiaeth. Yr oedd yn ddarlun o'r Diwygiad Cymreig'.[23] Parhaodd yr oedfa'n hir iawn, a bu'n rhaid annog y bobl i adael er mwyn iddynt fynd adref, gan fod taith bell gan lawer i'w cherdded. Y ffrwyth gweledig oedd fod cant wedi 'troi at yr Arglwydd'.[24]

Trannoeth, oedfa eto a'r capel yn llawn, a'r un rhyddid i'w deimlo â'r diwrnod blaenorol. Ar ôl yr oedfa treuliwyd amser yng nghwmni'r gweithwyr, i drafod y gwaith a'u hannog i ddyfalbarhau. Aeth pawb adref yn llawen, wedi eu tanio i gyflwyno'r efengyl i eraill. Aeth gŵr a gwraig i bentref y gwyddent amdano, er mwyn ymweld â'r cartrefi, 'Yn ystod dau ddiwrnod, yn mha rai ni fwytasant ddim, eu bwyd a'u diod oedd "gwneuthur ewyllys y Tad", fel y dywedent, bedyddiasant yn agos i gant o bobl ar eu hedifeirwch am bechod.'[25] Ymwelodd Elisabeth Rowlands â'r lle ddau fis yn ddiweddarach, a theimlodd yr un grymusterau ysbrydol mewn cyfarfod y pryd hwnnw. Cododd tri ar ddeg ar hugain i gyffesu Crist fel Gwaredwr. Yn union cyn iddi gyrraedd gwnaeth cant ag ugain yr un peth. Bu mewn cyfarfod gwragedd hefyd, a gwneud y sylw, 'Mewn siarad, gweddïo, ymweled ac ennill eneidiau, mae y merched ar y blaen.'[26]

Dysgu'r dychweledigion

Ar wahân i deithio a mwynhau'r cyfarfodydd roedd galw am ddysgu'r dychweledigion, a rhoddodd Thomas Rowlands sylw arbennig i hyn, a'i gynorthwyo gan ei wraig. Arswydai Thomas Rowlands rhag bodloni ar brofiadau arwynebol, a threuliai lawer o amser yn dysgu o'r Ysgrythur ac yn cynghori'n bersonol. Anfonodd lythyr at un o'i feibion yn gofyn am ddau lyfr ar seicoleg diwygiad, a thrueni mawr nad yw'r teitlau yn ei adroddiad. Nid oedd Thomas Rowlands yn bregethwr huawdl; yn hytrach ei allu i gymhwyso egwyddorion yr Ysgrythur oedd yn herio'r gynulleidfa. Yn ei bregeth ar Actau 3:19, deliai mewn un adran â'r rhwystrau i fendith bellach: *1. Balchder, amryw yn ymddiried yn eu haelodaeth eglwysig, ond a oedd eu henwau ar lyfr y nefoedd? 2. Olion o'r hen fywyd paganaidd yn aros. 3. Diffyg parch i'r Sul. 4. Oerfelgarwch, amryw wedi colli eu cariad cyntaf.*[27] Mae'n amlwg na fodlonai Thomas Rowlands ar rith o grefydd heb ei grym.

Dal i losgi oedd fflam brwdfrydedd Rowlands a'i briod yn ystod 1906, a dyma oedd yn wir hefyd am Charles Collins a'i wraig. Nodyn optimistaidd oedd yn adroddiad Elisabeth Rowlands yn Chwefror 1906, ac yn adroddiad Charles Collins, fis yn ddiweddarach, a chyfeiriwyd yn yr un rhifyn o'r *Chronicle* at y diwygiad yn India.[28] Roedd y Diwygiad yn clymu'r gwledydd wrth ei gilydd. Yn ei adroddiad cyfeiria Charles Collins at fedyddio hanner cant ac un mewn un cyfarfod. Bu Arthur Huckett mewn cyfarfodydd ardderchog, ond sylwai nad oedd emosiwn ysgubol yno; yn hytrach caed difrifoldeb tawel. Yn ystod y gyfres cyfarfodydd gwnaeth ugain o bobl broffes o ffydd yn yr Arglwydd Iesu Grist.[29]

Erbyn Ebrill 1906 daeth yr amser i Thomas ac Elisabeth Rowlands gael seibiant, a chychwynasant ar eu taith adref. Ar y ffordd cawsant gyfle i gymryd rhan yng nghyfarfodydd hanner blynyddol eglwysi Imerina, cyfarfodydd brwdfrydig, er nad oedd y nifer mor lluosog ag arfer oherwydd y malaria, ond roedd yr ysbryd adfywiol yn dal i chwythu.[30] Er bod y ddau Gymro'n falch o seibiant, mae'n siwr bod siom hefyd o orfod gadael yng nghanol y fendith. Byddai'n ddiddorol gwybod beth oedd eu hymateb ar ôl cyrraedd Cymru, ac Evan Roberts wedi tawelu erbyn hyn. Yn yr un flwyddyn daeth tro D. D. Green hefyd i gael seibiant.

Effaith parhaol yr adfywiad

Gostegodd y gwynt ysbrydol ychydig yn ystod 1906, ond ni pheidiodd â chwythu. Cyfeiria Charles Collins a'i wraig, mewn adroddiad ym mis Tachwedd, at gredinwyr yn Betsileo yn gweddïo drwy'r nos, a chael ateb i weddi ar ran eilunaddolwr a swynwr, hwnnw'n cyffesu Crist yn Waredwr a chael gwared o'i eilunod a'i swynion.[31] Tynnu sylw a wnaeth gwraig Charles

Collins at y gwahaniaeth a fu yng nghyfrannu'r Cristnogion. Ni fu'n llygad-dyst i'r fath beth erioed. Un gweinidog yn rhoi hanner cyflog mis yn y casgliad, teiliwr yn rhoi chwe swllt, pâr o ddillad a chalico, plant yn cyfrannu o ddwy i wyth geiniog ac eraill yn dod a llaeth, tatws, ieir a gwyddau.[32] Wrth weithio ar y galon mae'r Ysbryd Glân yn cyrraedd y boced hefyd.

Yr un oedd y nodweddion diwygiadol ym Madagascar a Chymru: ymwybyddiaeth o bechod, cyffesu pechodau, canu hwyliog, brwdfrydedd i efengylu a lle amlwg i'r gwragedd. Yr un oedd y pwyslais moesol hefyd: hybu dirwest ac adfer yr hyn a fenthyciwyd neu a ladratawyd. Yn y ddwy wlad lledodd yr adfywiad dros gylchoedd eang. Mater dadleuol yw natur dylanwad y Diwygiad yng Nghymru, ac mae'n ffasiynol yn awr i fod yn dra beirniadol o'r ffrwyth. Yn gyffredinol ym Madagascar cydnabyddwyd gwerth parhaol yr Adfywiad. Llithrodd rhai yn ôl i'w hen ffyrdd, ond mae'n anodd gwybod pa nifer, gan nad oes ystadegau manwl ar gael. Yn ôl tystiolaeth D. D. Green, byrhoedlog oedd y dylanwad yn ei gylch ef, ond dylid cofio ei fod ef i ffwrdd o 1906 hyd 1908.[33] Mae'n arwyddocaol mai'r rhai a ddaliodd eu tir orau oedd y rhai a fu yn yr ysgolion cenhadol.

Ceir tystiolaeth werthfawr gan rai o'r cenhadon i nifer da a lithrodd yn ôl gael eu hadfer ychydig flynyddoedd yn ddiweddarach, a bod yr Ysbryd Glân yn gweithio'n rymus unwaith eto yn 1909.[34] Ni fyddai'n naturiol disgwyl rhif uchel o ddychweledigion dros gyfnod hir o flynyddoedd, oherwydd cyfnod cymharol fyr yw cyfnod diwygiad; mae'n anarferol. Hyd yn oed yn y ddeunawfed ganrif yng Nghymru *cyfnodau* o fendith a brofwyd, er i'r cyfnodau hynny ddigwydd yn aml. Yr hyn sydd i gyfrif yn y pen draw yw'r ffrwyth. Ym Madagascar dywedir am y sefyllfa eglwysig yn 1910, 'The trend all along has been upwards.'[35]

Ym Madagascar hefyd roedd hi'n gyffredinol wir fod y ddysgeidiaeth yn ffyddlon i'r Ysgrythur, a'r pregethu'n efengylaidd. Yn wir, arswydai amryw o'r cenhadon wrth glywed am y Ddiwinyddiaeth Newydd a gyflwynwyd gan R. J. Campbell, Rhondda Williams ac eraill.[36] Eu bwriad hwy oedd cyhoeddi Crist oedd yn ddyn dwyfol, ac ar sail ei egwyddorion creu cymdeithas newydd. Yn ôl eu tyb hwy, er bod Crist yn ddwyfol nid oedd yn Fab Duw, ac ni fu farw yn iawn dros bechod. Yn lle awdurdod allanol, terfynol yr Ysgrythur, pwysleisient brofiad yr unigolyn. Nid oedd cenhadon Madagascar am weld y fath ddysgeidiaeth yn dadwneud gwaith blynyddoedd. Pe digwyddai hynny nid oedd dim i'w ddisgwyl ond parlys, fel mewn llawer o eglwysi Ewrop.

11
Brwydro, Ofni a Dathlu

Gadawodd Gallieni, y llywodraethwr Ffrengig, ddiwedd 1905, ac olynwyd ef gan Victor Augagneur, anffyddiwr, a gredai'n ddi-ildio mewn sosialaeth wrth-Gristnogol.[1] Aeth ati'n syth i gyflwyno'i bolisi a'i gymhwyso, ond nid oedd llawer o'r Cymry ar yr Ynys yn ystod blynyddoedd cynnar ei deyrnasiad. Gadawsai Robert Griffith yn 1905 a dychwelyd yn 1907, bu D. D. Green yn absennol o 1906 i 1908 a William Evans o 1907 i 1908. Pan ddychwelodd y tri roedd amryw o newidiadau wedi digwydd eisoes, ac roedd Augagneur yn dal i wasgu'r eglwysi.

Ymateb i Augagneur

Defnyddiodd Augagneur ddau gyfrwng i hyrwyddo ei syniadau, sef y wasg a mesurau deddfwriaethol. Dadleuai ym mhapurau'r Ynys bod crefydd yn gyffredinol yn ddrwg, yn arbennig y ffydd Brotestannaidd. O fis Mawrth hyd fis Tachwedd 1906 roedd y deddfau fel rhaffau yn araf dagu addysg Brotestannaidd. Roedd yn anghyfreithlon cynnal ysgol ddyddiol mewn lle o addoliad, ac os am ddysgu rhaid oedd codi adeilad pwrpasol. Colled enfawr i'r Protestaniaid oedd hyn, a hwythau wedi sefydlu eu hysgolion yn y capeli, ac nid oedd ganddynt mor modd i godi adeiladau newydd. Nid oedd hawl gan blant yr ysgolion cenhadol sefyll arholiad i ysgolion y llywodraeth, ac felly, caewyd y drws i swyddi pwysig ar yr Ynys. Caewyd yr YMCA yn y brifddinas oherwydd mai arf yn llaw Protestaniaeth oedd y sefydliad.[2]

Bwriad y llywodraeth oedd cael y rhan fwyaf o'r plant i'w hysgolion hwy. Digon tebyg oedd cwricwlwm y ddau fath o ysgol, ond roedd gwahaniaethau pwysig hefyd. Yn yr ysgolion cenhadol gwnaed yn siwr bod athrawon ychwanegol pe bai cynnydd yn nifer y plant, tra oedd ysgolion y llywodraeth yn orlawn, heb ddigon o athrawon. Rhoddwyd lle canolog i'r Ysgrythur gan y cenhadon ond ei esgymuno a wnaeth y llywodraeth. Yna roedd pwyslais moesol ac awyrgylch y ddau sefydliad yn dra gwahanol oherwydd bod y naill yn seiliedig ar egwyddorion Cristnogol, a'r llall ar egwyddorion gwrth-Gristnogol.[3] Mewn un maes, sef y maes diwydiannol, roedd y llywodraeth ar y blaen i'r cymdeithasau cenhadol, er iddynt hwythau hefyd wneud peth gwaith yn y cylch hwn. Tuedd amryw o genhadon oedd pwysleisio'r meddwl ar draul y dwylo, ac roedd y brodorion hwythau'n fwy na bodlon os nad oedd gwaith corfforol i'w gyflawni. Cafodd llawer ohonynt sioc pan welsant Robert Griffith yn tynnu ei got a thorchi ei lewys i weithio â'i ddwylo. Arferai rhai Malagasiaid dyfu ewinedd hir er mwyn dangos nad oeddynt yn labrwyr.[4]

Medrai'r llywodraeth ohirio cais am adeiladu capel neu ysgol, ac wedi gohirio, ei wrthod. Bu pentref Amparihim-aromaso yn brwydro i gael capel am sawl blwyddyn, ond ni chafwyd ateb hyd yn oed i'w gais swyddogol. Cafodd pentref Amparihibo ganiatâd llafar gan un o'r llywodraethwyr lleol, a dechreuwyd ar y gwaith o adeiladu capel. A'r gwaith bron ar ben, dyma orchymyn rhoi'r gorau iddo oherwydd nad oedd caniatâd ysgrifenedig gan yr eglwys.[5] Pan wnaethpwyd cais ar ran y ddau le, gwrthodwyd ef, oherwydd bod y ddau bentref o fewn taith gerdded llai na dwy awr i'r lle o addoliad agosaf, a rhif y credinwyr yn fach.[6]

Bron yn union ar ôl i Thomas Rowlands ddychwelyd digwyddodd dau newid o bwys. Cafwyd caniatâd i agor un ysgol, *garderie*, ond gorfodwyd ef i ostwng rhif yr Ysgol Ganolog o 165 i 80, a'r plant i gyd i fod o dan bedair ar ddeg blwydd oed. Dim ond ychydig o'r rhai a gollodd eu lle a gafodd fynediad i ysgolion eraill. Gadawyd y rhan fwyaf heb gyfleusterau addysgol o gwbl.[7]

Gofidiai Thomas Rowlands a Robert Griffith yn eu

gwahanol gylchoedd oherwydd presenoldeb y Ffrancwyr, a hefyd oherwydd diffyg adnoddau yr LMS, a'r awgrym, o'r herwydd, i leihau'r gwaith ym Madagascar. Eisoes, gadawodd deg o weithwyr a dim ond pedwar bwlch a lanwyd. Golygai hynny ehangu cylchoedd a oedd eisoes yn enfawr: [8]

Robert Griffith:	Ambohimanga â 44 canolfan; Faravohitra â 16 canolfan; Ambatonakanga, Ysgol Uwchradd y Bechgyn.
William Evans:	Ambatonakanga â 35 canolfan; Ampamarinana â 28 canolfan; Ysgrifennydd Pwyllgor Imerina.

Yr un oedd y galw ar y pum cenhadwr arall, ac roedd un ohonynt yn gofalu am eglwys a thrigain o ganolfannau.

Er mwyn gweithredu'n fwy effeithiol ceisiwyd gwneud dau beth: gwella'r paratoad ar gyfer gweinidogion brodorol a hybu gwaith yr ysgol Sul. Yn y brifddinas bu William Evans, a dau arall, yn brysur yn hyfforddi'r gweinidogion. Nid prinder oedd yr unig broblem, yn ôl y Cymro, ond y ffaith hefyd bod y Malagasiaid yn siaradwyr da ond yn bregethwyr gwael. Er hynny, synnwyd William Evans gan y brwdfrydedd a'r dyfalbarhad. Ymaelododd dros gant â'r dosbarthiadau, amryw yn cerdded hanner can milltir bob pythefnos i'r brifddinas ac aros am bedwar diwrnod i gael eu hyfforddi. Dim ond ychydig ohonynt a dderbyniai gymorth ariannol gan eu heglwysi. Trefnwyd arholiad yn achlysurol, ond prif bwrpas y cyrsiau oedd hyfforddi'r brodorion sut i astudio, yn y gobaith y byddent yn cael blas arno, ac yn parhau i wneud hynny am flynyddoedd lawer.[9]

Roedd gwaith yr ysgol Sul yn allweddol i'r cenhadon a'r eglwysi. Ar ôl cau llawer o ysgolion dyddiol, yr ysgol Sul oedd y cyfrwng mwyaf effeithiol i hyfforddi'r plant a'r oedolion yn yr Ysgrythur. Yn 1910 ffurfiwyd Undeb Ysgolion Sul Imerina, a'i gefnogi'n selog gan y Coleg Undebol yn y brifddinas.[10] Crewyd gwersi newydd am gyfnod o dair blynedd ar gyfer y rhai hŷn, y plant a'r rhai bach iawn. Bu cynnydd amlwg yn nifer yr ysgolion Sul a'u haelodau. Yn 1900 rhif aelodau ysgolion Sul yr LMS oedd 10,022, ond erbyn 1910 y rhif oedd 22,234.[11] Yn y Coleg Diwinyddol trefnwyd i bob myfyriwr yn ei dro gymryd dosbarth ysgol Sul, a chael ymateb ei gyd-fyfyrwyr a'r athrawon a fyddai'n bresennol.[12]

Ymdrechion William Evans

Cynyddu a wnaeth nifer yr aelodau yn gyffredinol yn yr eglwysi. Roedd adroddiad William Evans am 1910 yn galonogol iawn. Erbyn hyn roedd 260 o aelodau yn y fam eglwys yn ei gylch ef, a chynulleidfa o 500, ysgol Sul o 500, ac roedd aelodaeth y 'Christian Endeavour' yn 150. Ffurfiwyd llyfrgell a chymdeithas Dorcas.[13] Cafodd Mrs Evans drafferth i ddechrau'r gymdeithas Dorcas tua deng mlynedd cyn hynny, ond erbyn hyn, gwreiddiodd a thyfu'n gyflym. Y prif weithgarwch oedd ymweld â'r claf a'r tlawd, gwneud dillad i'r anghenus a chyfrannu'n ariannol at waith cenhadol Undeb Eglwysi Imerina, yr *Isan-enim-bolana,* yn ardaloedd pellennig yr Ynys.[4] Llwyddodd y fam eglwys yn Ambatonakanga fod yn annibynnol ar yr LMS, gan fforddio hefyd i roi help llaw i eglwysi eraill.

Gwŷr allweddol i'r dystiolaeth Gristnogol oedd yr efengylwyr. Lleolwyd pedwar ohonynt mewn mannau strategol yn ardal William Evans, pob un yn gyfrifol am bedair neu bum eglwys. Gwaith yr efengylwyr oedd trefnu ac arwain gwasanaethau'r Sul, arwain astudiaethau beiblaidd ac ymweld â chartrefi'r bobl. Arolygai'r cenhadwr y gwaith hwn yn ofalus a chyson. Am gyfnod o flynyddoedd roedd yn gyfrifol am gymaint â deg cyfarfod ar hugain, a'r hyn oedd yn bwysig iddo oedd cyfarfod yr arweinwyr o leiaf unwaith y mis. Cyfrwng effeithiol arall i ddysgu oedd yr ysgol Sul, a llwyddwyd i sefydlu dosbarthiadau ymhob un o'r saith eglwys ar hugain yn ei ardal. Ar y cychwyn ysgolion i blant oedd y rhain, ond yn raddol sylweddolwyd eu gwerth i ddysgu'r oedolion hefyd. Astudiwyd yr un gwersi ym mhob un o'r ysgolion, a rhoddwyd pwys ar ddysgu ar y cof, ac arholiadau ysgrifenedig i'r plant. Parhaodd y diddordeb yn y 'Christian Endeavour', a'r aelodau'n cyfarfod yn frwdfrydig unwaith y mis. Yn y trefydd y lleolwyd y rhan fwyaf ohonynt, ond gobaith William Evans oedd gweld y mudiad yn cydio yn nychymyg pob un o eglwysi'r ardal.[15]

Nid mynd i Fadagascar i wneud y gwaith yn lle'r brodorion a wnaeth William Evans, ond eu dysgu er mwyn iddynt hwy gyflawni'r genhadaeth eu hunain. Dyna paham yr oedd yn gefnogwr brwd i'r Undeb Eglwysi, yr *Isan-enim-bolana*, a ffurf-iwyd gan yr LMS, FFMS (Crynwyr), a Chymdeithas Genhadol Paris. Un o'i brofiadau mawr oedd mynychu'r cyfarfodydd, pan fyddai tua dwy fil o Gristnogion brodorol yn bresennol.

Yn 1910, trefnodd Cyngor yr *Isan-enim-bolana* daith i William Evans a Rainitiaray, yr ysgrifennydd, i dalaith Antsihanaka, tua'r gogledd.[16] Cychwynnodd y ddau 6 Medi 1910, a'r daith fwyaf helbulus oedd honno o Antsihanaka i ardal Tsaratanana ac yn ôl. Nid oedd llwybrau clir ar gael, heb sôn am heol, a bu rhaid iddynt fynd dros fynyddoedd serth a thyfiant gwyllt a guddiai'r teithwyr oddi wrth ei gilydd. Collwyd y ffordd yn llwyr un diwrnod a gorfodwyd y cwmni i wersylla am ychydig cyn mentro ymlaen â chyrraedd pentref am un o'r gloch y bore. Er bod hyn yn llawenydd calon, ni chafwyd llawer o gysur yno oherwydd un gadair oedd ar gael trwy'r pentref i gyd.

Yn ystod y daith yn ôl i Antsihanaka llethwyd hwy gan y gwres, y blinder a'r newyn. Collodd un o'r cwmni reolaeth arno'i hun a rhedeg i lan afon i fwyta'r llaid oedd yno. Daethpwyd o hyd i ychydig fwyd, ac ar ôl iddo ei gymryd, rhoddodd William Evans ddos o 'epsom salts' iddo. Roedd mor iach a chneuen erbyn y bore. Yn ôl y cenhadwr ei hun ni ddylid fod wedi mentro ar y daith hirfaith hon heb baratoad mwy tryl-wyr. Gwnaeth fap o'r ardal fel y medrai eraill fynd yno'n fwy hwylus. Er hynny teimlai William Evans yn fodlon iawn ar ôl cael cyfle i ymweld â'r unig eglwys yn Tsaratanana, eglwys a oedd yng ngofal efengylwr. Dyma ardal a phoblogaeth o ddwy fil ar bymtheg, a'r rhan fwyaf o'r aelodau eglwysig yn dod o lwyth yr Hova a ddaeth yno i gloddio aur. Ansicr oedd dyfodol yr eglwys oherwydd bod y lle mor anghysbell a pholisi'r llywodraeth yn anffafriol i ledaeniad yr efengyl.[17]

Ar ddyfodiad y Ffrancwyr gorfodwyd yr LMS i drosglwyddo'r gwaith yn Antsihanaka i'r *Isan-enim-bolana*, a'r patrwm a fabwysiadwyd oedd trefnu efengylwyr mewn mannau allweddol. Tyfodd eglwysi cryfion mewn sawl man, a honnai William Evans fod cynulleidfaoedd Ambatondrazaka ac Imerimandroso lle y bu A. W. Wilson a D. D. Green yn llafurio, yn cymharu'n dda â'r eglwysi gorau yn nhalaith Imerina. Yn ystod ei ymweliad pregethodd William Evans yn y prif ganolfannau a threfnu arholiadau'r Ysgrythur. Dwy nodwedd amlwg yn yr addoli oedd canu hwyliog a defosiwn dwys. Ar ôl pob cyfarfod roedd cyfle i werthu Beiblau a llyfrau emynau, a rhannu tractau. Trwy haelioni Cymdeithas y Beibl, Imerina, roedd yn bosibl rhoi copïau o'r Ysgrythur yn rhad ac am ddim i'r tlodion. Dychwelodd William Evans a'r ysgrifennydd yn sicr yn eu calon bod y gwaith yn mynd yn ei flaen yn araf ond yn ddigon cadarn, a bod sail i ddisgwyl bendith helaethach yn y dyfodol. [18]

Cafodd William Evans y fraint o ofalu am un arall o eglwysi'r merthyron, sef Ampamarinana, yng nghanol y brifddinas, y fan lle'r hyrddiwyd pedwar Cristion ar ddeg i'w marwolaeth yn 1849. Adeiladwyd y capel yn y dull Bysantaidd, gyda thŵr oddi allan a galeri y tu fewn.[19] Dyma faes llafur Benjamin Briggs am ddeugain mlynedd, a'r lle y bu Joseph Andrianaivoravelona yn gweinidogaethu, y pregethwr brodorol, a adwaenid fel Spurgeon Madagascar. Felly, medrai William Evans deimlo'n hyderus iawn wrth gydio yn yr awenau. Ffrwyth y bugeilio a'r dysgu cyson oedd gwell disgyblaeth yn yr eglwysi, mwy o gariad rhwng yr aelodau a mwy o barodrwydd i gyfrannu'n ariannol.

Er bod y gwaith yn llwyddo roedd anhawster, a hynny oherwydd yr haint mawr a sgubodd yr ardal ychydig flynyddoedd cyn i William Evans ddechrau ar ei waith yno. Bu rhwng pum a chwe mil farw, a dau gant a thrigain mewn un eglwys. Collwyd nifer o weinidogion hefyd yn yr ardal. Dyna paham roedd y cenhadwr yn fodlon ar y cynnydd bychan yn 1910:[20]

	Eglwysi	Aelodau	Cyfartaledd Oedfaon y Sul	Ysgol Sul	Cyfraniadau
1900	25	2622	5085	2210	£565-14-8
1910	27	2928	5370	2531	£711- 4-3

Un peth arwyddocaol yw rhif yr ysgol Sul, sydd mor agos at rif yr aelodau.

Eglwys goffa Faravohitra oedd mam eglwys cylch Robert Griffith, a llwyddodd i ddal at ei waith ar waethaf ei afiechyd. Hwb i'r galon oedd y cyfarfodydd yn 1910 i ddathlu agor y capel ddeugain mlynedd ynghynt. Adroddodd James Sibree hanes yr achos, a gwnaeth dau fachgen, un Sais ac un Malagasy, osod llestr yn cynnwys llwch ac esgyrn rai o'r merthyron yng ngherrig y pulpud.[21]

A Robert Griffith yn ei wendid, cyrhaeddodd Cymro arall i gryfhau'r rhengoedd, sef Daniel Owen Jones, o Dŷ-gwyn, Castellnewydd Emlyn, a fagwyd yn eglwys y Dre-wen gerllaw. Addysgwyd ef yng Ngholeg y Brifysgol, Caerdydd, a Choleg Aberhonddu, a'i ordeinio yn Stourbridge yn 1905. Neilltuwyd ef i'r maes cenhadol yn Lyndhurst Road, Hampstead, yn 1910, a'r un flwyddyn hwyliodd i lafurio yn Ambohimanga, Madagascar.[22] Cymorth nid bychan oedd medru dweud wrth y brodorion fod ei gartref heb fod ymhell o'r Neuadd-lwyd. Dechreuodd D. O. Jones bregethu ym mis Mawrth 1911, a phrofiad newydd sbon oedd pregethu mewn cyfarfod diolchgarwch. Daeth tyrfa fawr ynghyd, amryw yn cyrraedd bum awr cyn amser dechrau'r cyfarfod. Parhaodd y canu am gryn amser, pregethodd D. O. Jones ac ar ddiwedd yr oedfa darllenwyd rhestr hir o'r rhoddion, yn cynnwys reis, tybaco, wyau a chig.

Gwerthwyd y cwbl am y pris uchaf posibl, ac roedd yn amlwg bod yr arwerthwr, sef un o'r diaconiaid, yn brofiadol iawn yn y gwaith. Credai D. O. Jones fod y ceiliog mawreddog oedd yn bresennol wedi gwrando'n astud ar y bregeth. [23]

Anawsterau pellach

Fel yr Atheniaid (Actau 17:21), apeliai syniadau newydd at bobl Madagascar hefyd, ar waethaf apêl yr hen draddodiadau. Ceisiodd pleidwyr anffyddiaeth ddilorni'r eglwys, a threfnwyd cyfres o gyfarfodydd i wrthsefyll y gwenwyn.[24] Traddodwyd y ddarlith gyntaf gan William Evans ar y testun, 'The Wonderful Things Believed by Unbelievers', a'i ddilyn gan James Sibree ar 'Buddhism', a J. F. Radley, 'Why I believe in Jesus Christ'. Trefnwyd cyfarfodydd i'r gwragedd i'w trwytho hwythau hefyd yn yr athrawiaeth Gristnogol. Gorfodwyd yr eglwysi i feddwl yn gliriach am wedd ddeallusol yr efengyl yn ogystal â'r wedd brofiadol. Wynebwyd her sect yr 'Apostolion', a hawliai'r gallu i iacháu a bwrw allan ysbrydion aflan. Cadw draw oddi wrth y mudiad hwn a wnaeth y mwyafrif llethol o'r eglwysi. Roedd mudiad arall, 'Plant y Beibl' yn barod i ddefnyddio trais i feddiannu capel, ac mewn un achos ni ddychwelwyd y capel i'r aelodau gwreiddiol hyd nes i'r llywodraeth ymyrryd. [25]

Fel yn 1897, cynddeiriogodd y llwythau yn ystod 1910 a 1911, yn arbennig y Bara yn Betsileo. Yn ôl Thomas Rowlands ymddangosodd ffenomenon a elwid 'Bilom-Bara', sef ysbryd drwg a gysylltwyd a'r Bara.[26] Dylanwadai'n nerthol ar bobl mewn gwahanol ffyrdd. Roedd llu o symptomau. Credodd un person fod cysgod un o'r Bara yn ei ganlyn a'i feddiannu. Gwelai un arall, un o filwyr y Bara, yn ei fyɡwth, ac yntau'n ffoi i'r unigedd neu i lan afon yn barod i'w ladd ei hun. Yn wir, dyna a fyddai'r canlyniad yn aml oni bai am ymyrraeth teulu neu ffrindiau. Weithiau byddai'r ysbryd yn dangos pryd o fwyd i rywun, ac wedi creu archwaeth amdano, ei adael mewn poen a gwewyr. Roedd effeithiau corfforol hefyd, yn cynnwys chwysu gwaed ac anffurfio rhannau o'r corff.

Roedd gan y Malagasiaid ddwy brif ffordd i ddelio â'r pla hwn. Un ffordd oedd cario'r dioddefwr at fedd y teulu, a chreu sŵn byddarol i ddychryn yr ysbryd. Ymunai'r dioddefwr yn y bloeddio nes diffygio'n llwyr, a chariwyd ef wedyn i'w ymolchi yn nŵr yr afon. Y ffordd arall, yn arbennig yn y pentrefi, oedd bwrw allan yr ysbryd aflan trwy weddi a chanu. Byddai'r person yn cael ei fwrw i'r llawr nes ei fod yn glafoerio, ac yna fe'i gadewid yn hanner marw, ond arwydd oedd hyn bod yr ysbryd wedi ei adael.[27]

Nid oedd yr achosion i gyd yn ddilys oherwydd ffugiwyd profiadau ac roedd rhai yn ganlyniad ofn yn unig, ond amlygwyd digon o'r ocwlt i hawlio ymateb. I'r Ffrancwyr nid oedd hyn ond gorffwylltra crefyddol, ond i'r Cristnogion roedd yn enghraifft o'r hyn a ddisgrifir yn Effesiaid, pennod 6, adnodau 12 ac 13. Dywed Thomas Rowlands i hyn effeithio mewn dwy ffordd ar yr eglwysi. Ar un llaw, rhannwyd teuluoedd, oherwydd ni fedrai'r Cristnogion mewn teulu gymryd rhan yn y gweithrediadau amheus i ddelio â'r ysbryd drwg, ac felly cyhuddwyd hwy o fod yn anffyddlon i'w teidiau. Ar y llaw arall, ni feddiannwyd y Cristnogion gan yr ysbryd drwg, ac felly, gorfodwyd amryw o'r Malagasiaid i feddwl o ddifrif am y ffydd Gristnogol.[28] Mae'n arwyddocaol bod y ffenomenon yn amlwg yn y gorllewin yn ein dyddiau ni, gan gynnwys Prydain, lle mae cynnydd mewn cyfleusterau addysgol a lle mae dylanwad Cristnogaeth yn lleihau. Nid y gwledydd 'cyntefig' yn unig sy'n rhoi lle i'r ocwlt.

Yn eglwysig roedd anawsterau o fewn yr eglwysi a hefyd ym mherthynas y cymdeithasau cenhadol â'i gilydd. Un broblem yn yr eglwysi oedd trefn priodas. Yn ôl yr awdurdodau gwladol nid oedd unrhyw briodas yn gyfreithlon heb ei chofrestru gan y llywodraeth. Un peth oedd dweud hyn wrth y rhai oedd ar fin priodi, ond peth arall oedd dweud hyn wrth rai a fu'n briod am flynyddoedd lawer. Ni fedrent hwy dderbyn ymyrraeth y llywodraeth yn y mater hwn. Cymhlethwyd popeth gan y cyfarwyddyd a roddodd y cenhadon i'r parau priod, sef y dylent gofrestru gyda'r llywodraeth er mwyn heddwch ac enw da'r eglwysi. Mewn un eglwys o gant ac ugain, disgyblwyd dros naw deg am wrthod cofrestru eu priodasau eu hunain neu rai eu plant.[29]

Yr anhawster mawr gyda'r gwahanol gymdeithasau cenhadol oedd gwybod sut i rannu'r wlad rhyngddynt yn ddaearyddol. Cafwyd cynhadledd yn 1913 a gwnaethpwyd amryw o awgrymiadau, ond hwyrfrydig oedd y cymdeithasau i'w mabwysiadu, ac yn 1914 cyhoeddwyd y rhyfel rhwng Prydain a'r Almaen, a daeth Prydain a Ffrainc yn gyfeillion.[30] Ar y cyfan, bu hyn er lles i'r eglwys ym Madagascar. Yn union ar ôl dechrau'r rhyfel cydnabyddwyd yn swyddogol yr eglwysi yn Tananarivo (Antananarivo), a rhoddwyd addewid y byddai'r un peth yn digwydd drwy'r Ynys. Digon tawel oedd cylch William Evans, a'r eglwysi'n brysur yn casglu ar gyfer y milwyr clwyfedig, y gweddwon a'r amddifad.[31] Felly hefyd yn Betsileo, lle roedd yr eglwysi, yn ôl D. D. Green, wedi casglu erbyn diwedd 1914 ddeugain mil o bunnau ar gyfer yr anghenus, a'r gwragedd yn brysur yn gwneud dillad.[32]

Oherwydd afiechyd, dychwelodd Thomas Rowlands a'i wraig i Brydain yn 1913, ac oherwydd y rhyfel gadawodd Robert Griffith yn 1914, a D. D. Green a William Evans yn 1915, yntau wedi colli ei briod yn 1914. Yn dal ym Madagascar roedd D. O. Jones yn Ambohimanga a D. M. Rees yn Fianarantsoa. Yn 1915 ffurfiwyd ardal newydd yng nghanol Analakely o dan ofal D. O. Jones, ynghyd â naw eglwys yn Ambohitralomahitsy.[33] Bregus oedd iechyd D. M. Rees o hyd a bu'n meddwl yn ddwys am adael Madagascar, ond ni ddigwyddodd hynny tan 1919. Gofidiai hefyd am ei fam oedrannus a'r mab a alwyd i'r fyddin.[34]

Yn ystod y rhyfel ymunodd nifer fawr o Falagasiaid â byddin Ffrainc, ond nid oedd pawb, o bell ffordd, yn gefnogol i'r Ffrancwyr. Yn ystod 1915 a 1916, llwyddodd amryw o'r llwythau ailgynnau'r ysbryd gwrthryfelgar yn erbyn y llywodraeth, a bu'r dewiniaid yn fwy na pharod i fegino'r tân.[35] Erbyn

Chwefror 1916, rhestrwyd dau gant saith deg o Falagasiaid i sefyll eu prawf ar gyhuddiadau o berthyn i gymdeithas gudd a threfnu i wrthwynebu'r llywodraeth. Meddiannwyd y mudiad gan eithafwyr a goleddai syniadau paganaidd: 'Stupid oaths sworn, and a few mad-caps, mostly medicals, talked big among themselves of Japanese and American military help in bringing about a revolution.'[36]

Credai'r ran fwyaf o ddigon o'r Cristnogion na ddylid cefnogi'r mudiad hwn, ond roedd ychydig a gredai'n wahanol. Ergyd drom i D. M. Rees a'i wraig oedd sylweddoli bod aelodau o'r eglwys â rhan yn y cyffro. Eu cysur oedd i amryw gyffesu eu bai er mwyn lleihau'r gosb, cosb a fedrai fod yn hallt iawn, llafur caled, carchar neu alltudiaeth.[37]

Yr un flwyddyn, sef 1916, dychwelodd Thomas Rowlands a'i wraig i Fadagascar. Cyrhaeddodd y ddau yn gynnar ym mis Rhagfyr, ac ar yr ugeinfed bu farw Elisabeth Rowlands, un arall ymhlith llawer o Gymry i gael bedd ar yr Ynys. Ymwrolodd Thomas Rowlands i wneud ei waith, a sylwodd mor symudol oedd y boblogaeth, er bod aelodau eglwys Ambohimandroso yn weddol sefydlog, ac yn hunan-gynhaliol, ond dioddefent hwythau, fel pawb arall, oherwydd prisiau uchel bwyd a dillad o ganlyniad i'r rhyfel.[38] Yn 1918 dychwelodd D. D. Green a William Evans. Cafodd y ddau gabin yr un ar y llong a chyfle ar y ffordd i ymweld â Chairo, oherwydd angori am ychydig yn Alexandria. Arweiniwyd hwy i ddiogelwch yr harbwr gan ddwy long o Siapan. Gweithiai William Evans yn Tananarivo am y pum wythnos gyntaf, ac yn un o'i lythyrau cynnar cyfeiriodd at D. O. Jones. Bu'r Cymro, ac amryw o'r cenhadon, yn disgwyl am feic modur i hwyluso'r gwaith, ond yn lle aros prynodd D. O. Jones gart a merlen oddi wrth yr esgob King, a 'heimlai fel brenin ar ei orsedd.[39]

Dathlu

Amser i ddathlu oedd diwedd y rhyfel, 11 Tachwedd 1918. Cafwyd cyfarfodydd diolchgarwch ar hyd a lled Madagascar.

Daeth pobl D. M. Rees a Thomas Rowlands at ei gilydd i oedfa arbennig, gweddïodd Thomas Rowlands, darllenodd y gwein-idog brodorol yr Ysgrythur, pregethodd D. M. Rees a chanodd y plant ddau emyn Ffrangeg. Calonogwyd yr eglwysi i wynebu blwyddyn newydd, ond gwyddent hefyd fod rhaid iddynt fod ar eu gwyliadwriaeth. Yn aml iawn gwên ffals oedd ar wyneb polisi'r llywodraeth.[40]

Yn ystod 1919 bu William Evans a'i wraig ar daith lwydd-iannus i Antsihanaka, ar waethaf y ffliw cas oedd yn ysgubo'r wlad. Caewyd llu o eglwysi ac ysgolion am bum wythnos ac am gyfnod hirach yn yr ardaloedd mwyaf gwledig. Bu teul-uoedd cyfain farw, ac adroddodd D. M. Rees am gymaint â naw o bobl yn marw mewn un tŷ yn ei ardal yntau. Un broblem, yn arbennig i'r tlodion, oedd claddu'r meirw, a chafwyd enghreifft-iau o agor beddau o dan loriau'r cartrefi.[41]

Nid y cenhadon ym Madagascar oedd yr unig rai oedd yn eiddigeddus dros y gwaith ym Madagascar, ond Robert Griffith hefyd yng Nghymru. Roedd yn brysur yn dadlau achos yr Ynys, ac yn 1919 gwnaeth ymdrech arbennig ar ran ardal Iboina, Madagascar, a chafodd ymateb parod. Nid oedd hyn yn syndod iddo oherwydd cyfrannodd Cymru'n hael i gen-hadaeth Madagascar, £7,061 yn 1914–15 a £12,000 yn 1917–18. Dymuniad y cyfarwyddwyr yn Llundain a'r pwyllgor lleol ym Madagascar oedd cyflwyno'r gwaith yn Iboina i Genhadaeth Paris, ond ar ôl hir drafod cafodd Cymru'r cyfle i hybu'r dyst-iolaeth Gristnogol yn y rhan honno o'r Ynys.[42]

Roedd Robert Griffith, y cyfarwyddwyr yn Llundain, y cen-hadon a'r eglwysi ym Madagascar, yn unfryd yn eu dymuniad i ddathlu canmlwyddiant y gwaith a ddechreuwyd yn 1818. Oni bai am y rhyfel byddai'r dathlu wedi digwydd yn 1918. Lluniwyd rhaglen fanwl, a threfnodd y cyfarwyddwyr yn Llundain ddirprwyaeth i fynd allan i Fadagascar, Mr a Mrs F. H. Hawkins, y Parch. Elfed Lewis, a'r cenhadwr, Robert Griffith.[43] Pan glywodd Thomas Rowlands am y trefniant, danfonodd air o gyngor at y cyfarwyddwyr. Y bwriad oedd

teithio ar feiciau modur, ond ffolineb oedd hyn yn ôl y cenhad-
wr profiadol, oherwydd y tywydd, blinder wrth deithio a'r
troeon sydyn ar y ffyrdd. Pe byddai problem fecanyddol, bach
iawn oedd y gobaith o gael garej wrth law. Cyfeiriodd Thomas
Rowlands yn benodol at Elfed. Nid oedd ef yn ifanc mwyach,
ac ni ddylid ei anfon i Antsihanaka. O fynd byddai'n siwr o
ddioddef o'r dwymyn.[44]

Cafodd y cyfarwyddwyr awgrymiadau ar gyfer angenrheid-
iau teithio'r dirprwywyr hefyd, yn cynnwys dwy siwt—un
dywyll ac un olau—ymbarél, cwinîn, fflasg frandi, rhwyd mos-
gito, baco a phibell os dymunent, Beibl a dau lyfr clasurol. Os
dymunent brynu rhoddion i'r brodorion dylid chwilio am
wisgoedd rhad.[45]

Yr wythnos gyntaf yn Hydref 1920, o Sadwrn i Sadwrn,
oedd cyfnod y dathlu yn y brifddinas.[46] Daeth tyrfa enfawr
ynghyd, cannoedd ohonynt wedi cerdded am filltiroedd er
mwyn bod yn yr ŵyl, gan gario mat i gysgu, reis i gynnal y corff
a Beibl i fod yn fwyd ysbrydol. Ar y dydd Sadwrn cyntaf nid
oedd y tri chapel yn ddigon i gynnwys y bobl, a gan ei bod yn
gymundeb bu'n rhaid defnyddio yr un cwpanau yr ail waith.
Ar y Sul profwyd cyffro'r Ysbryd yn y cyfarfodydd, un eglwys
yn derbyn cant o aelodau newydd. Yn Eglwys Goffa Ambat-
onakanga y bu'r oedfa nos Lun a'r ymateb yn anhygoel, yn
arbennig o gofio nad oedd cyfarfod hwyrol yn boblogaidd ym
Madagascar.

Cafwyd cyfarfod rhyfeddol ar y dydd Mercher. Cyfarfod
awyr agored a drefnwyd ond ni fedrai'r man cyfarfod gynnwys
y dyrfa, a bu rhaid defnyddio tri chapel gerllaw. Rhwng pawb
roedd tua un fil ar ddeg yn bresennol, a'r ymateb yn frwdfrydig
dros ben, 'As responsive as a "cymanfa" meeting among the
Welsh hills.'[47] Cyhoeddwyd y neges Gristnogol a chyflwynwyd
cyfarchion i'r Gymdeithas Genhadol mewn Saesneg, Ffrangeg,
Norwyeg a Chymraeg. Y gri ar hyd y cyfarfod oedd, 'Mada-
gascar i Grist'. Cynhaliwyd cyfarfodydd arbennig gan yr *Isan-
enim-bolana*, a gan *Isan-kerin-taona* (y Genhadaeth Frodorol).

Cyflwynwyd cyfarchion o Gymru yn y cyfarfodydd hyn hefyd.

Teithiwyd i'r de yr ail wythnos o Hydref. Yn un o'r cyfarfodydd rhoddodd y llywydd gyfle i rai o'r gynulleidfa weddïo. Gwnaeth sawl un gymryd rhan, y naill ar ôl y llall, ac yna'n sydyn, gweddïodd nifer fawr o bobl yr un pryd. I'r ymwelwyr o Gymru roedd hyn yn union fel cyfarfodydd Diwygiad 1904–05, ac nid oedd hyn yn syndod oherwydd dylanwadodd y cyffro hwnnw ar Fadagascar.[48]

Bu cyfarfod diddorol a ffrwythlon i rai nad oeddynt yn aelodau eglwysig. Roedd y lle'n orlawn ymhell cyn amser dechrau. Cyhoeddwyd y newyddion da a chymhwyso'r neges yn bersonol iawn. Rhoddwyd cyfle i bwy bynnag oedd yn dymuno hynny ildio ei fywyd i Grist. Syfrdanwyd y cenhadon pan wnaeth dau gant o bobl ymateb i'r gwahoddiad. Ymwelwyd hefyd â'r canolfannau gwledig, a mawr oedd gwerthfawrogiad yr ymwelwyr o'r gwaith cyson yn y lleoedd hyn.[49]

12
Cyfraniad y Cymry

Dylem fel Cymry ymhyfrydu yn stori'r eglwys ym Madagascar. Wrth edrych yn ôl dros y blynyddoedd, y peth cyntaf i'w gofio yw'r gwaith arloesol a gyflawnwyd gan y cenhadon cynnar. Gwnaeth y rhain drin y tir a hau, trwy ddysgu a phregethu, i sicrhau cynhaeaf ysbrydol ar yr Ynys. Rhoesant y Beibl i'r bobl yn eu hiaith eu hunain, y gymwynas fwyaf efallai ymysg y cymwynasau eraill i gyd. Golygai'r gwaith arloesol hwn fenter ac aberth, a chladdwyd chwech o'r cwmni cynnar yn naear Madagascar.

Ffrwyth y llafurio cynnar oedd sefydlu eglwysi ym Madagascar, a pharatoi'r credinwyr brodorol ar gyfer cyfnod o erlid erchyll. Yn ystod y cyfnod hwnnw Gair Duw a gynhaliodd y Cristnogion. Dyna oedd eu prif gysur yn ystod y blynyddoedd hyn. Mae'n rhyfeddol pa beth y gall Duw ei gyflawni trwy ei Air. Fel Paul, roedd credinwyr Madagascar yn goddef cystudd hyd rwymau, eithr Gair Duw nis rhwymir.

Ar y cyfan, bu'r cenhadon yn ddoeth yn eu hymwneud â'r Malagasiaid. Gwelsant gryfder a gwendidau y diwylliant brodorol, ei barchu, ac ar yr un pryd llwyddasant i gyflwyno'r neges Gristnogol yn effeithiol. Cydnabyddent y pethau da yn y diwylliant, a chofio ar yr un pryd, fod agweddau ar bob diwylliant sy'n wrth-Gristnogol, neu mewn perygl o lithro i fod felly. Ceir argraff glir yn y cyfnod cynnar bod y Cymry'n fwy parod na'r Saeson i gydymdeimlo â'r Malagasiaid.

Ni chollodd y Cymry eu gwrhydri cynnar ar ôl i'r Ffrancwyr feddiannu'r Ynys yn 1896. Mawrygwn wasanaeth hir a ffyddlon Thomas ac Elisabeth Rowlands, cyfraniad gwerthfawr William Evans a chynnyrch llenyddol Robert Griffith.

Roedd eu perthynas â'r llywodraeth yn gryn broblem i'r cenhadon. Llwyddodd y cenhadon cynnar i fod ar delerau da â Radama, ond golygai hynny ddibynnu ar ei ganiatâd i wneud popeth o bwys. Efallai yn ddiweddarach, tua 1890 ymlaen, iddynt wamalu yn eu hagwedd—beirniadu'r llywodraeth weithiau, a phryd arall bod yn ormod o ffrindiau â'r awdurdodau. Anhawster arall oedd enwadaeth. Ar un llaw, pregethent yr iachawdwriaeth yng Nghrist, a hynny er achubiaeth, ond, ar y llaw arall, roedd yn rhaid i'r cenhadon ffurfio'r dychweledigion yn eglwysi, a rhoi stamp enwadaeth Lloegr a Chymry ar eglwysi Madagascar. Mae'n amhosibl bod yn gwbl ddiduedd yn enwadol, a dyna oedd profiad yr LMS hyd yn oed, cymdeithas oedd â mesur o bwyslais ar gydweithredu rhwng enwadau.

Ar y cychwyn, gorfodwyd y cenhadon i ganolbwyntio ar dalaith Imerina. Ar ôl 1861 roedd yn bosibl arloesi yn Betsileo tua'r de, ond gadawyd darnau helaeth o'r Ynys heb dystiolaeth Gristnogol. Yn 1913 gweithiai saith deg a thri o ddynion, allan o gant ac wyth, yn Imerina a Betsileo, a thri deg ac un o wragedd, allan o bedwar deg a chwech, yn yr un ardaloedd. Pumed rhan o Fadagascar a efengyleiddiwyd er bod saith o gymdeithasau cenhadol ar yr Ynys.

Beth bynnag oedd eu gwendidau, canmolwn ein cenhadon enwog a llai enwog. Nid oes eisiau mwy o brawf iddynt fod o dan fendith Duw, na bod yr eglwys yn dal ym Madagascar hyd heddiw, a'i bod yn ymwybodol o'i dyled i Gymru.

Yn y brifddinas, gwelir o hyd stryd David Jones a stryd Thomas Bevan. Pan agorwyd dwy ysgol newydd yn Toamasina galwyd hwy yn ysgol David Jones ac ysgol Thomas Bevan. Enw'r ddau Gymro sydd ar weithdy coed a metel yn y ddinas hefyd. Ni pheidiodd diddordeb Cymru ym Madagascar a bu sawl un o'r wlad yn llafurio ar yr Ynys yn ystod y ganrif hon, ac mae un Gymraes yn dal yno. Yn 1990 efeilliwyd eglwys Minny Street, Caerdydd ag eglwys Tranovato, Toamasina, capel lle mae dwy fil yn bresennol ar fore Sul.[1] Yn gymharol ddiweddar y mentrodd y Bedyddwyr yno, ac mae rhai o Gymru ynghlwm wrth y dystiolaeth hon hefyd.[2]

Atodiad

Cyffes Ffydd ac egwyddorion yr eglwys lle roedd
David Griffiths yn weinidog (1831).

English Translation of Agreement of the Church of Christ at
Ambodimandohalo, Antananarivo Madagascar. Aug. 6th 1831

1. The words 'church of Christ' signify persons, who, believing
the Bible to be the word of God, submit to Christ, and assemble
at appointed times, to pray to Jehovah.-Rev. II & III-Rom. XV1-
15.- Col. 1V-15.

2. The design of a christian church is, to further believers in
surrendering themselves to Christ, to establish them in the
faith; and to promote the dissemination of the word of God.
Heb X-24, 25 2 Cor.V111.-5.

3. In order to accomplish these objects, we pledge ourselves to
be of one mind in what the word of God teaches; and we pur-
pose, by God's help, to conduct ourselves according to that
(word) until we die.

4. With regard to our faith; we believe that all the Holy
Scripture is the word of God, given and uttered by God, accord-
ing to the intelligence the Holy Spirit communicated to the
writers thereof. 2 Tim 111-16. And receiving the word of God as
a rule, we believe that God is <u>one</u>, (Deut V1-7. Mark X11-29-32.)
powerful and almighty, (Gen. XV11.-1) the Creator and contin-
ual preserver of all things (Gen. 1-1, Hcb 1-3 Acts XV11-25.)
there is no place in which he is not, there is nothing which he
knows not, and nothing which he sees not (Jer. XX111-23,-24.)
His goodness & his mercy are inexaustable, He being the root

169

of wisdom, the fountain of good, and end of all things (Ex. XXX1V -6). And to express all briefly, we believe to belong to him, all those attributes ascribed to him in the Holy Scriptures. And, Jehovah, Father, Son, & Holy Spirit, these three we believe to be but one, the same in nature and glory [gadawyd allan rai cyfeiriadau aneglur yma—Gol.]. Is 1X-6. V1-5. XLV-21-Jon. V1-32 to 62.

We believe that God made man upright, holy and excellent, without blame, and without sin, but that through sin man did not continue in that state, but became with all his race, lost, the slaves of sin, & evil dispositions, and deserving to perish and become miserable for ever. Rom. V. Eccles. V11-29. Gen. 111-1-5. We believe that this misery and punishment do not proceed from the will of God, but from the nature of sin itself. Is. 111 - 11. Prov. 1-31. Job 1V-8.

We believe that Jesus Christ the son of God, whom the father appointed before the world was founded to become the Saviour of sinners, has taken upon himself the nature of man, so that he possesses the natures both of man and of God, being, Immanuel, God with us; (Mat 1-21) and he has delivered up his life to redeem the lost and save the miserable. Luke X1X-10. Is. L111.

We believe that the Father has chosen inummerable people to become the Glory of Jesus Christ on account of what he has done; and the holy spirit does change the hearts of these people, and enlightens their minds, to cause them to become one with Jesus by faith, that they may obtain righteousness and holiness: and it is the Holy Spirit's work to unite believers to Christ, and to make them new creatures, and none will be saved who are not changed by the holy Spirit; nevertheless God calls upon all men to repent and believe in Jesus, for he wills not that any should perish, but that they should come to the knowledge of the truth. (Eph 1-4,5. Rom. V111-29-30. Jn. 111-5 I Tim 11-4. Ezek. XV111-23.

We believe that it is not by the strength of our own hearts, or the ability of our own minds that we can obtain eternal salvation, but only by the free grace of God, through that faith which is the gift of God: (Rom.V1-23. Titus 111-5. Rom X-10, 1V-4-5. Ephs. 11-8) and that it is upon the faith of what God's word really declares, we must place our hopes of salvation: Jn. V111-31-32. I Tim 1V-16.

5. We purpose, by the help of God, to observe and follow all which the holy scripture enjoins, and to cast away all that it prohibits, such as, perjury, thieving, falsehood, sinful lusts, with all which may be deemed evil; and we purpose to render honour to God, and to follow Christ in all that we do. Titus 11-12.

We believe that, in the last day, God will raise from the dead, the just to everlasting life, and the guilty to everlasting punishment (Jon. V-28,29.) we believe that after that God will judge the world, when the believing in Christ will become happy in heaven for ever, & the unbelieving will suffer in hell for ever. Mat. XXV-31-46.

We purpose to observe well the duties of brotherhood; - to do good to all men, especially to the family of faith. Mat. V11-12. Heb X111-24,25. Jon. X111-34,35.

We purpose by the help of God, to persevere unto death, in the observance of all which God commands us to do, especially Prayer, whether in the assembly (Ps.62-8-1 Jon. V-14) or in the family, morning and evening; (Jos. XX1V-15. Rom XV1-5) or each one alone, (Mat. V1-5,7. Lk. XV111-1-3) or in ejaculatory prayer, when journeying or when abiding; (Ps LX11-8) also in the observing of baptism, and the commemoration of Christ's death; Mat XXV111-19. Acts XX11-16. Mat. XXV1-26-30 1 Cor X-11-24. and the sabbath as the appointed day of prayer, when not prevented by some great obstacle Gen 11-2,3. Ezek. XX-8-11 Mat XXV11-1. Heb 1V-10. Ps CXV111-24-29.

6. With regard to the management of the church, the preacher of the gospel, who has been set apart to that work shall conduct the church for their benefit. (2 Tim. 11-14. Acts XX-17-28.) he

shall preach the gospel; (Tit. 11-1) shall administer baptism and the commemoration of Christ's death; (Mat XXV111-19) he shall communicate to the church the names of any who approach the ordinance of commemoration; and shall nominate for the choice of the church the helpers called Deacons (Acts 1X-27 - 1V-1-8.) he shall admonish the unruly, (Titus 1-13) propose the separation of the unruly, and their reception again, when their conduct is unequivocally consistent. Such shall be his especial employment. And he is at liberty to baptize believers, if he do not ask the consent of the church; but when he purposes to receive them at the commemoration of Christ's death, he shall enquire of the church previous to introducing them whether they are proper subjects, or not; and if there is said to be any thing inconsistent in a candidate's faith or practice, to examine strictly, if that be valid or not. But if all the church members are silent on the occasion of a candidate's introduction, these he shall be thereupon received.

The voice of the majority of the church shall be followed in reception & excommunication and also in the selection of the helpers called Deacons. (2 Cor. 11-6 Acts XV-4.—

Each assembly shall have one or more teacher capable of reading the holy scriptures, exhortation and prayer. The business of the Deacons shall be to assist at the administration of the ordinances, in prayer meetings, exhortation, conversations with candidates & others, and mutual admonition: they shall visit the sick, compassionate the poor brethren, and to the utmost of their ability, promote unanimity, good relationship, and orderly conduct amongst the church; and the diffusion of the gospel in the world. If the preacher be temporally absent, or sick, or dead, or removed from his station of labour, then the deacons shall take heed to the congregation; and in case the absence is temporary, they shall find supplies. But should the absence be permanent, a minister shall be chosen by the voice of the majority of the church. 2 Cor. V111-19.

If a brother is observed to act inconsistently in conduct and faith, the direction of Christ in Mat. XV111. 15-20 shall be followed, and if he is not by that reclaimed from evil, then, the affair shall be communicated to the minister to be made known to the church.

Members of other churches whose conduct is believed to be irreproachable, shall be allowed to unite in the ordinance of the commemoration of the Saviour's death as 'Occasional Communicants.

(End of the translation of the Agreement)

Notes.

It should be added that two articles are purposely omitted from the desire to avoid giving any pretence for political offence: viz. reference to the idols, charms, divination, &c, and the duty of a church to support its own Minister. With regard to the first of these, no sentiment is so generally and unequivocally understood by the malagasy as the indispensable obligation of ceasing from all the sinful customs of the ancestors on embracing christianity: and with regard to the latter, it is quite out of question to think of carrying that principle into effect at present.

A Copy of the foregoing agreement is allowed to be taken by all Deacons; and it is purposed to draw up another paper to assist them in their duties; containing a series of questions suitable to be put to youthful candidates for baptism, and others who may shew anxiety for their eternal safety. Of course such questions would not be designed as a formulary, but as a help.

Of the members of the church, six have been for several months absent at a war a fortnight or 3 weeks journey to the north of Antananarivo: We have received letters from them repeatedly, and find they have never ceased to hold prayer meetings in their camps on Sundays and Wednesdays: they inform us that many persons chiefly soldiers, approach the services to listen and some appear to be seriously impressed. This holding of prayer meetings in the tents has caused no small surprise to the army, being a circumstance altogether unprecedented in the history the Hova wars. Two of them were slightly wounded in the attack upon the first village taken by them. When we last heard from them, the war had prospered extraordinarly; we wrote to encourage them to persevere in the faith of the Gospel.

An observation ought to be made on the great concern shewn by the twins, (Voalave and Tonsous) now named Rahaniraka & Rafaralahy) in respect to Mr Griffiths leaving. As soon as they heard of it, they came to Mr Griffiths and begged of him to give a written assurance that he was willing to submit to the Queen's laws and desired to continue to teach the people, pledging themselves to take this to the general in chief, and press upon him the importance of keeping Mr Griffiths here. The letter was written and they had a long interview with the general, who promised to submit the letter to her Majesty and give them an answer on the following day; the answer however has not been given to this day. It is but just to observe of these two young men who have been so long in England, that they never miss the services at Mr G's chapel on Sunday Morning except unavoidably detained by the Sovereign's services: and their answers to the natives about the state of Religion in England perfectly coincides with what is taught here; and tends to confirm the new converts.

Nodiadau

Pennod 1

1. R. Tudur Jones, *Hanes Annibynwyr Cymru* (Abertawe, 1966), 205.
2. Am William Carey a Chymdeithas Genhadol y Bedyddwyr, Brian Stanley, *The History of the Baptist Missionary Society* (T. & T. Clark, Caeredin, 1992).
3. Am y dechreuadau, John Morison, *The Fathers and Founders of the London Missionary Society* (d.d.).
4. e.e., *Trysorfa Ysprydol*, 1799.
5. Morgan Jones, *Y Dydd yn Gwawrio* (Caerfyrddin, 1798), 3.
6. ibid., Rhagymadrodd.
7. M. Rees, *Cofiant y Diweddar Barch. Thomas Phillips* (Llanelli, 1845), Pennod 1.
8. Thomas Rees a John Thomas, *Hanes Eglwysi Annibynol Cymru*, cyfrol 1V (Lerpwl, 1875), 109.
9. Crynodeb o fywyd David Jones, erthygl E. Lewis Evans, John Edward Lloyd, R. T. Jenkins, gol. *Y Bywgraffiadur Cymreig hyd 1940* (Llundain, 1953). Ceir amryw o gofiannau i David Jones, yn cynnwys, W. E. Cousins, *David Jones* (Llundain, d.d.), a'i gyfieithu gan David Oliver, *David Jones* (Llundain, d.d.; J. Reason, *Storm over Madagascar* (Llundain, 1938); Ernest H. Hayes, *Dauntless Pioneer* (Carwal, 1923, 7ed argraffiad 1947).
10. T. Phillips, *Hanes Am Urddiad Thomas Bevan a David Jones yn Neuaddlwyd* (Caerfyrddin, 1818), 4.
11. ibid.
12. ibid., 13.
13. ibid., 14.
14. *Cofiant Thomas Phillips*, Pennod 1; Geraint Dyfnallt Owen, *Ysgolion a Cholegau yr Annibynwyr* (Undeb yr Annibynwyr Cymraeg, 1939), 190-93; Vyrnwy Morgan, 'Adgofion am Ysgol Neuaddlwyd'; *Cofiant Kilsby Jones* (d.d.); J. Ll. James, *Hanes Cymanfaoedd yr Annibynwyr* (1867), 199-200.
15. *Hanes Am Urddiad*, 7.
16. ibid.
17. ibid., 9.
18. Tynnodd E. D. Jones sylw at hyn flynyddoedd yn ôl, 'Pwy a Freudd-wydiodd?', *Y Tyst*, 22 Ionawr 1970. Mae'r ffynonellau Saesneg yn fwy parod i dderbyn yr hen draddodiad, e.e., Graeme Smith, *Triumph in Death* (Evangelical Press, 1987), 15-16, ond mae Mervyn Brown yn sôn am 'A pious legend', *Madagascar Rediscovered* (Llundain, 1978), 153.
19. Casgliad Council for World Mission (CWM), yn y School of Oriental and African Studies (SOAS), Llundain, Madagascar Correspondence, Box 9.
20. *Hanes Am Urddiad*, 17.

21   CWM, Candidates' Papers, Box 1.
22   Adroddiad yn *Seren Gomer*, 21 Hydref 1818.
23   Edward Morgan, *A Brief History of the Life and Labours of the Rev T. Charles* (Llundain, 1828), 309-15; D. E. Jenkins, *The Life of Thomas Charles of Bala*, cyfrol 3, (Dinbych, 1908), 170-3.
24   Am David Bogue, James Bennett, *Memoirs of the Life of David Bogue* (Llundain, 1827); Noel Gibbard, 'David Bogue and the Gosport Academy', *Foundations*, Rhif 20, 1988.
25   CWM, Report 1817, Home Letters.
26   ibid.
27   *Hanes Am Urddiad,* 17-19.
28   ibid., 19.
29   ibid., 20-21.
30   G. Penar Griffiths, *Cenadon Cymreig* (Caerdydd, 1897), 35, ac am 'Gan Ffarwel' David Jones, 43-4. Cyhoeddwyd caneuon Thomas a Mary Bevan, *Ymadawiad y Cenadau* (Caerfyrddin, 1818).

Pennod 2

1.   Richard Lovett, *The History of the London Missionary Society* (Llundain, 1899), cyfrol 1, 674.
2.   Seiliwyd y darn am y wlad ar David Griffiths, *Hanes Madagascar* (Machynlleth, 1842); J. J. Freeman a David Johns, *A Narrative of the Persecution of the Christians in Madagascar* (Llundain, 1840); William Ellis, *History of Madagascar* (2 gyfrol, 1838); Mervyn Brown, *Madagascar Rediscovered*, yn arbennig Rhan 1.
3.   CWM, Madagascar Correspondence, 6 April 1819, Le Brun. Dau ddiwrnod cyn marw ei briod, dywed David Jones, 'She was struck with deafness and dumbness, so that we could hardly understand one another speaking', ibid., 3 May 1819.
4.   Bum mis yn ddiweddarach, dywed David Jones, 'The Fever has passed downwards into my feet and toes, and it makes me very lame and my feet painful with heat and swelling', ibid., 3 May 1818. 'His severe disorders have left behind considerable debility and occasional depression of spirits', 'Madagascar', *Missionary Chronicle*, July 1820.
5.   CWM, *Madagascar Correspondence,* 3 May 1819.
6.   ibid., 7 August 1819.
7.   James Hastie'n anfon adroddiad manwl at David Griffiths, CWM, 18 February 1821. Am Hastie gweler Brown, *Madagascar Rediscovered*, 140-2.
8.   Yr hanes yn llawn gan David Jones, CWM, Mauritius and Madagascar Journals, Box 1.
9.   ibid.
10.   ibid.
11.   ibid.
12.   ibid. Dywed Brown am y blynyddoedd yn syth ar ôl 1820, 'The next few

years saw the high noon of Anglo-Merina co-operation and the vindication of Farquhar's policy', *Madagascar Rediscovered*, 146.

13. *Y Bywgraffiadur Cymreig*; T. Gwyn Thomas, *David Griffiths Madagascar* (Llundain, 1920); 'Y Diweddar Barch D. Griffiths Madagascar', *Y Diwygiwr*, Hydref, Tachwedd 1882.

14. CWM.

15. CWM, Candidates Papers.

16. Lovett, *History of the LMS*, 676-7; E. Lewis Evans, *Cymru a'r Gymdeithas Genhadol*, 73; 'Missionary Ordination', *Missionary Chronicle*, July 1821.

Pennod 3

1. CWM, Madagascar Correspondence, 18 September 1821.

2. National Library of Wales (NLW), 15917E, David Griffiths at William Griffith, 2 Ionawr 1822.

3. James Cameron, *Recollections of Missionary Life in Madagascar* (Antananarivo, 1874), 5-6.

4. 'Madagascar', *Missionary Chronicle*, February 1823.

5. ibid.

6. ibid.

7. ibid.

8. David Griffiths, *Hanes Madagascar*, 33.

9. CWM, Journals, Box 1, 17 February 1823.

10. ibid.

11. ibid., 17, 18, February 1823.

12. ibid., 22 March 1823.

13. ibid.

14. CWM, Madagascar Correspondence, 24 April 1823; NLW, 19157E.

15. CWM, Journals, 13 May 1824.

16. ibid., Correspondence, 13 May 1824.

17. ibid., 23 September 1824.

18. ibid., Journals; *Annual Report of the British and Foreign Bible Society* (BFBS), 1827, lxiii.

19. David Griffiths, *Hanes Madagascar*, 40.

20. CWM, Candidates' Papers; *Bywgraffiadur Cymreig*.

21. 'Madagascar', *Missionary Chronicle*, September 1827.

22. Caergrawnt (BFBS), Platt, 'Madagasse', cyf.12.

23. ibid.

24. *Missionary Chronicle*, September, November, 1828; Lovett, *History of the LMS*, 685-6.

25. CWM, Madagascar Correspondence, 'Minutes'.

26. ibid., 19 February 1830 (In), 16 November 1830 (Out); Caergrawnt (BFBS), David Jones at Joseph Jowett, 11 November 1835; CWM, Madagascar Correspondence, 31 August 1835; *Annual Report*, BFBS, 1834, lxxxv.

27. Richard Gwyn Campbell, 'The role of the LMS in the Rise of the Merina

Empire', Traethawd Ph. D, Prifysgol Cymru, 1985, cyf. 1, 249-50; Lovett, *History of the LMS,* 689-90.

28. Lovett, *History of the LMS,* 687.
29. 'I must ever highly esteem Mr Griffiths on account of his singleness of eye to the spread of the Gospel amongst the natives, to whom he seldom preaches less than 5 times in the week', Edward Baker, CWM, Madagascar Correspondence, 27 June 1831.
30. CWM, Africa, Europe, Madagascar Correspondence (Out), 12 March 1832, 12 June 1833.
31. Caergrawnt (BFBS), General Committee, No. 20, 24 January 1831; NLW 19157E, 7 July, 4 August 1830; David Griffiths, *Hanes Madagascar,* 60 (ond yn rhoi 1831).
32. David Griffiths, *Hanes Madagascar,* 66.
33. CWM, Madagascar Correspondence, 17 March 1830.
34. *Annual Report,* BFBS, 1835, lxxxvii, 1836, lxvi.
35. CWM, Madagascar Correspondence, 16 March 1822.
36. LLGC, CMA, 27,222, 30 December 1865.

Pennod 4

1. CWM, Madagascar Correspondence, 15 June 1822.
2. ibid., 29 March 1822.
3. ibid., 22 March.
4. ibid., 3 May 1821; Home Correspondence, 18 September 1821.
5. ibid., 3 May 1821.
6. David Griffiths, *Hanes Madagascar,* 39-40 .
7. NLW, 19157E.
8. CWM, Madagascar Journals, folio 5A; *Antananarivo Annual,* 1885, ix.
9. 'Madagascar', *Missionary Chronicle,* July 1825.
10. ibid., May 1826.
11. ibid., August 1825; CWM, Madagascar Correspondence, 23 February 1823, Home Correspondence, 7 November 1859.
12. *Missionary Chronicle,* February, July 1825.
13. Freeman and Johns, *Narrative of Persecutions,* 148; CWM, Mauritius, 25 September 1843; Graeme Smith, *Triumph in Death,* 56.
14. *Missionary Chronicle,* March 1825; CWM, Madagascar Correspondence, 5 January 1818.
15. *Y Dysgedydd,* Hydref 1826; *Missionary Chronicle,* April 1827.
16. David Griffiths, *Hanes Madagascar,* 36.
17. *Y Dysgedydd,* Mehefin 1827.
18. Rees a Thomas, *HEAC,* cyf. iv, 142-43, 141.
19. CWM, Madagascar Journals, Box 1, Folio 8.
20. ibid.
21. 'Madagascar', *Missionary Chronicle,* April 1827.
22. ibid., February 1825, February 1831.

23. CWM, Madagascar Correspondence, 28 June 1830.

24. *Missionary Chronicle*, July 1825.

25. CWM, Madagascar Journals, 1, Folio 9.

26. *Quarterly Chronicle,* April 1823.

27. CWM, Madagascar Correspondence, 28 June 1830.

28. *Missionary Chronicle*, December 1831.

29. CWM, Madagascar Correspondence, 1 September 1830.

30. ibid.

31. ibid.

32. ibid., 28 April 1823; Journals, Box 1, Folio 8.

33. Oherwydd cynnydd awdurdod Imerina, a'r amheuaeth ynglŷn â bwr-iadau'r cenhadon, eu hymateb hwythau oedd bod yn fwy teyrngar i Fadagascar, yn hytrach na Phrydain, 'It led missionaries in the field, switching their loyalty from the British to the Merina Crown, and to util-ising the mission's resources to promote the breaking away of the Merina Empire from British informal influence,' Gwyn R. Campbell, Traethawd Ph.D., cyfrol 1, 152. CWM, Madagascar Correspondence, 28 April 1823; *Dysgedydd*, Hydref 1826; *Missionary Chronicle*, April 1827.

Pennod 5

1. Brown, *Madagascar Rediscovered*, 165, a David Griffiths, *Hanes Madagascar,* 48, ond manylion gwahanol yn y ddau adroddiad.

2. David Griffiths, *Hanes Madagascar,* 44-5.

3. CWM, Madagascar Correspondence, 1 September 1830.

4. David Griffiths, *Hanes Madagascar*, 59.

5. ibid., 61, 62.

6. ibid., 68.

7. *Annual Report*, BFBS, 1824, lxxxiv.

8. Lovett, *History of the LMS,* 691.

9. *Annual Report*, BFBS, 1835, lxxvii.

10. Freeman and Johns, *Narrative of Persecutions*, 91.

11. ibid., 97.

12. David Griffiths, *Hanes Madagascar*, 72.

13. Freeman and Johns, *Narrative of Persecutions*, 112.

14. ibid., 123.

15. ibid., 134, 135.

16. ibid., 142-3.

17. ibid., 145.

18. David Johns, *Hanes Erledigaeth*, 29; David Griffiths, *Hanes Madagascar*, 77.Un o'r Beiblau wedi ei gadw'n ddiogel, NLW, 14,641B.

19. Lovett, *History of the LMS,* 701-02.

20. Freeman and Johns, *Narrative of Persecutions*, 185.

21. ibid., 155-62; Graeme Smith, *Triumph in Death*, 69-72; J. T. Hardyman, 'Malagasy Refugees to Britain, 1838-41', *OMALY SY ANIO*, Revue

D'etudes Historiques, 5-6, 1977, 145.

22. Freeman and Johns, *Narrative of Persecutions*, 168-9.
23. David Griffiths, *Hanes Madagascar*, 82-3; CWM, Madagascar Journals, 2, 1838-40.
24. Freeman and Johns, *Narrative of Persecutions,* 224-5.
25. ibid., 237.
26. ibid., 239.
27. ibid., 251.
28. David Griffiths, *Hanes Madagascar*, 79-80.
29. Freeman and Johns, *Narrative of Persecutions*, 282-3; J. T. Hardyman, *OMALY SY ANIO*, 147-51.
30. Caergrawnt, BFBS, Foreign Correspondence, 15 October 1839.
31. CWM, Mauritius Correspondence, 28 June 1838.
32. *Annual Report*, BFBS, 1837, lxxxii, 1840, lxviii.
33. BFBS, Foreign Correspondence 2 April 1840.
34. ibid., 21 May 1839.
35. David Griffiths, *Hanes Madagascar,* 82-3; CWM, Madagascar Journals, 2.
36. David Griffiths, *Hanes Madagascar*, 86, 92.
37. CWM, Madagascar Journals, 2.
38. ibid.
39. ibid.
40. ibid.
41. David Griffiths, *Hanes Madagascar,* 87.
42. Freeman and Johns, *Narrative of Persecutions,* 42.
43. ibid., 273.
44. David Griffiths, *Hanes Madagascar*, 99.

Pennod 6

1. David Griffiths, *Hanes Madagascar*, 117.
2. CWM, Mauritius Correspondence, 28 December 1842.
3. 'Y Genhadaeth', *Y Dysgedydd,* Rhagfyr 1842.
4. CWM, Mauritius Correspondence, 7 February 1842.
5. ibid.
6. ibid.
7. E. Lewis Evans, *Cymru a'r Gymdeithas Genhadol*, 73.
8. Rees a Thomas, *HEAC*, cyf. iv, 358.
9. CWM, Home Correspondence, 10 July 1848.
10. ibid., 3 January 1846, 13 February 1947.
11. Caergrawnt (BFBS), Editorial Sub Committee, No 4, 20 July 1853.
12. ibid., 1 February 1854.
13. ibid., 13 November.
14. ibid., April 1854.
15. CWM, Home Correspondence, 17 March 1854.
16. ibid., 19 April 1854; *Annual Report*, BFBS. 1855, cxxii-iii.

17. CWM, Home correspondence, 17 March 1854.
18. Caergrawnt (BFBS), Editorial Sub Committee, 22 October 1856, 21 October 1857.
19. ibid., 9 December 1857.
20. ibid., 20 January 1858, 29 December 1857.
21. CWM, Home Correspondence, Nov 9/61; W. E. Cousins, 'The Translation of the Malagasy Bible', ynghlwm wrth Feibl Malagaseg, Llyfrgell Brydeinig, Store Street; Lovett, *History of the LMS,* 776-9. Bu David Griffiths farw, 21 Mawrth 1863. Bu ei weddw farw yn Abertawe, 15 Mehefin 1883, yn 93 oed, a'i chladdu yng Nghapel y Graig, Machynlleth, *Y Dysgedydd*, Gorffennaf 1883.
22. *Annual Report*, BFBS, 1845, cxlvi.
23. 'Newydd Da o Madagascar', Mawrth 1847.
24. ibid.
25. Graeme Smith, *Triumph in Death*, 87-9.
26. Annie Sharman, *Ynys y Merthyron*, cyf. J. Bodfan Anwyl, 57.
27. Ceir yr hanes yn llawn gan William Ellis, *Three visits to Madagascar* (Llundain, 1858).
28. Graeme Smith, *Triumph in Death*, 93.
29. 'Madagascar', *Y Dysgedydd*, Ebrill 1855.
30. Graeme Smith, *Triumph in Death*, 104.

Pennod 7
1. Yr hanes yn llawn gan William Ellis, *Three visits to Madagascar* (1858).
2. Sharman, *Ynys y Merthyron*, 78–9
3. Edward and Emrys Rowlands, *Thomas Rowlands of Madagascar* (Llundain, d.d.), 12-16.
4. ibid., 18-20.
5. CWM, Madagascar Correspondence, 29 November 1880.
6. Rowlands, *Thomas Rowlands,* 75-6.
7. CWM, Madagascar Correspondence, 11 May.
8. Lovett, *History of the LMS,* cyf. 1, 759.
9. Rowlands, *Thomas Rowlands*, 34-5.
10. CWM, Madagascar Correspondence, 29 November.
11. ibid., 27 October 1881.
12. ibid.
13. ibid.
14. ibid.
15. ibid., Report, 2 January 1882.
16. ibid., 23 January 1882.
17. ibid., Report Androso District, 24 January 1882.
18. ibid.
19. ibid., Correspondence, 27 January 1883.
20. ibid., 14 February 1883.
21. ibid., 6 July 1883.
22. ibid., 21-6 June 1886.

23. ibid., 2 November 1886.
24. ibid., 27 December 1886.
25. ibid., 11 May 1888.
26. James Sibree, Ambositra, *Chronicle*, March 1891.
27. ibid.
28. Rowlands, *Thomas Rowlands*, 35.
29. ibid., 73.

Pennod 8

1. E. Lewis Evans, *Cymru a'r Gymdeithas Genhadol*, 79; *Register of Missionaries*.
2. CWM, Madagascar Correspondence, 22 April 1889.
3. ibid., 21 May 1891.
4. ibid., 15 July 1892.
5. A. Bonar Gow, *Madagascar and the Protestant Impact* (1975), 258.
6. Henry E. Clark, 'The Recent Religious Revival in Antananarivo and Imerina', *Antananarivo Annual*, 1893.
7. CWM, Madagascar Correspondence, 18 May 1891.
8. ibid., 21 May 1891.
9. ibid., 18 May 1891.
10. Henry E. Clark, *Antananarivo Annual*, 1893.
11. ibid.
12. CWM, Madagascar Correspondence, 21 May 1891.
13. ibid., 31 May 1892.
14. ibid.
15. Bonar A. Gow, *Madagascar and the Protestant Impact*, 26. Ceir adolygiad o'i lyfr gan Maurice Bloch, sy'n cydnabod cyfraniad gwerthfawr Gow, yn arbennig i'r cyfnod 1861 hyd 1890. Dywed Bloch bod diffyg cydymdeimlad Gow a'r cenhadon yn amlwg, a'i fod yn anghywir yn ei ffeithiau wrth drafod y cyfnod ar ôl 1890. Teipysgrif yng Nghasgliad Hardyman, SOAS.
16. Henry E. Clark, *Antananarivo Annual*, 1893.
17. ibid.
18. CWM, Candidates Papers; E. Lewis Evans, *Cymru a'r Gymdeithas Genhadol*, 80.
19. Penar Griffiths, *Cenadon Cymreig*, 105.
20. Llythyr Robert Roberts d.d., *Chronicle*, July 1891.
21. ibid.
22. ibid.
23. CWM, Madagascar Correspondence, 7 February 1891.
24. E. Lewis Evans, *Cymru a'r Gymdeithas Genhadol*, 81.
25. CWM, 10 April 1893.
26. ibid., 22 October 1893.
27. ibid., Report.
28. E. Lewis Evans, *Cymru a'r Gymdeithas Genhadol*, 82-3.
29. CWM, Madagascar Correspondence, 19 December 1893.
30. ibid.

31. ibid.

Pennod 9

1. CWM, Madagascar Correspondence, 7 October 1895.
2. ibid., 7 October 1895.
3. Sharman, *Ynys y Merthyron*, 87.
4. CWM, 7 October 1895.
5. Robert Griffith, *Madagascar, A Century of Adventure* (1919), pennod 2; Brown, *Madagascar Rediscovered*, pennod 16.
6. Sibree, *Madagascar Mission Review*, 5-6.
7. Robert Griffith, *Madagascar*, 43-4.
8. CWM, Madagascar Correspondence, 8 October 1894.
9. ibid., 18 April 1895.
10. ibid.
11. ibid., 19 February 1896.
12. ibid., 13 April 1896.
13. ibid.
14. ibid., 21 May 1896.
15. ibid., 13 July 1896.
16. ibid., 14 August 1896.
17. ibid., 2 December, 14 August 1896.
18. ibid., 26 December.
19. ibid., 18 October 1905.
20. Rowlands, *Thomas Rowlands*, 45-6.
21. ibid., 56-8.
22. ibid.
23. Sharman, *Ynys y Merthyron*, 96-8.
24. Rowlands, *Thomas Rowlands*, 48-9.
25. CWM, Madagascar Correspondence, 23 May 1897.
26. Rowlands, *Thomas Rowlands*, 91-3.
27. CWM, Madagascar Correspondence, 4 September 1897.
28. ibid., 23 May 1897.
29. ibid.
30. Robert Griffith, *Madagascar*, 44.
31. Sibree, *Madagascar Mission Review*, 82.
32. Rowlands, *Thomas Rowlands*, 49-50.
33. CWM, Candidates Papers; *Register of Missionaries*; E. Lewis Evans, *Cymru a'r Gymdeithas Genhadol*, 85.
34. ibid, 84.
35. Sibree, 'Imerina Mission', *Madagascar Mission Review*.
36. CWM, Madagascar Correspondence, 27 January 1900.
37. ibid.
38. ibid., 29 April 1902.
39. ibid., 14 February 1904.

40. ibid., Imerina District Committee, 14 October 1901.

41. ibid., 20 April 1901.

42. ibid., 18 July 1903.

43. ibid. Dadl y Cyfansoddiadau yn troi o gwmpas Coleg yr Annibynwyr yn y Bala. Michael D. Jones yn dadlau hawl y tanysgrifwyr i reolu'r coleg, tra oedd John Thomas, Lerpwl, yn dadlau hawl pwyllgor, a olygai yn y pen draw awdurdod y cyrddau chwarter ar y coleg. Crynodeb gan R. Tudur Jones, *Hanes Annibynwyr Cymru* (Abertawe, 1966), 253-6.

44. Sibree, *Madagascar Mission Review*, 163.

Pennod 10

1. CWM, Madagascar Correspondence, 6 February 1905.

2. ibid., 12 March 1905.

3. ibid., 25 March 1905.

4. ibid., 15 February.

5. ibid., 12 March.

6. Rowlands, *Thomas Rowlands*, 65.

7. CWM, Madagascar Correspondence, 10 March.

8. ibid., 30 March.

9. ibid., 10 May.

10. *Chronicle*, September 1905.

11. Rowlands, *Thomas Rowlands*, 66.

12. Mrs Rowlands, 'The Revival in Madagascar', *Chronicle*, September 1905.

13. ibid.

14. ibid.

15. 'Revival in Madagascar', *Chronicle, November 1905.*

16. Rowlands, *Thomas Rowlands*, 67-8.

17. CWM, Madagascar Correspondence, 25 September 1905.

18. ibid.

19. ibid.

20. ibid., 23 December. 'In the seven divisions of our district many hundreds have decided for Christ. But what we value even more is the deepening of the spiritual lives of believers', Mrs Rowlands, *Chronicle*, January 1906

21. 'Y Genadaeth', *Y Dysgedydd*, Mawrth 1906.

22. ibid., Mai 1906.

23. ibid.

24. ibid.

25. ibid.

26. ibid., a'r adroddiad Saesneg yn y *Chronicle*, Mawrth 1906.

27. Rowlands, *Thomas Rowlands*, 68-9.

28. 'News in Brief'.

29. CWM, Madagascar Correspondence, 10 July 1906.

30. ibid., 30 April 1906.

31. 'An All-Night Prayer Meeting and its Result', *Chronicle*, November 1906.

32. ibid.
33. Sibree, *Madagascar Mission Review*, 169.
34. ibid., 153; 'Madagascar', *Chronicle*, July 1909.
35. ibid., 173.
36. ibid., 50. R. J. Campbell (1867-1956), a'i lyfr *The New Theology* (1907); T. Rhondda Williams (1860-1945); un o'i lyfrau nodweddiadol, *The Social Gospel* (1902).

Pennod 11

1. Norman Goodall, *A History of the London Missionary Society 1895-1945* (London, 1954), 316-17; Robert Griffith, *Madagascar*, 59.
2. *Madagascar for Christ, Report 1913,* 45.
3. Robert Griffith, *Madagascar*, 64-5.
4. ibid., 65.
5. CWM, Madagascar Correspondence, April 1908.
6. ibid., 15 August 1908.
7. ibid., 14 February 1908.
8. ibid., Imerina District Committee, 12, 15-19 July 1909.
9. Sibree, *Madagascar Mission Review,* 63-4.
10. CWM, Imerina District Committee, 12, 15-19 July 1909.
11. Sibree, *Madagascar Mission Review*, 114-15.
12. ibid., 116.
13. ibid., 19.
14. ibid., 19-20.
15. ibid., 20–1.
16. ibid., 78.
17. ibid., 79.
18. ibid., 79-80.
19. ibid., 27.
20. ibid., 28.
21. ibid., 26.
22. E. Lewis Evans, *Cymru a'r Gymdeithas Genhadol,* 86-7.
23. CWM, Madagascar Correspondence, 31 August 1911.
24. Sibree, *Madagascar Mission Review,* 50.
25. ibid., 51.
26. Thomas Rowlands, 'Bilom-Bara', *Chronicle,* April 1911.
27. ibid.
28. ibid.
29. *Annual Report,* LMS, 1914, 292-3.
30. Robert Griffith, *Madagascar*, 53-4; Goodall, *History of the LMS,* 322-3.
31. CWM, Madagascar Correspondence, 22 September 1914.
32. ibid., 4 December 1914.
33. ibid., Committee, 12-16 April 1915.
34. ibid., 12 April 1916.

35. ibid., 19 February 1916.
36. ibid.
37. ibid., 12 April 1916.
38. ibid., 26 December 1916, 19 April 1918.
39. ibid., 10 February, 30 September, 1918, 24 January 1919.
40. ibid., 13, 23 January 1919.
41. ibid., 11 June, 27 July, 23 September, 13 November, 1919.
42. ibid., 10 April 1919.
43. Cynrychiolwyr o gymdeithasau Paris a Norwy hefyd. Bwriadodd gweddw Timothy Richard (B), fynd, ond rhwystrwyd hi oherwydd damwain, *Chronicle*, October 1920.
44. CWM, Madagascar Correspondence, 28 February 1920.
45. Mewn taflen wedi ei theipio, heb ei harwyddo.
46. *Madagascar Report of the Rev H. Elvet Lewis, M.A., Robert Griffith and Mr F. Hawkins, LL.B. Deputation to Madagascar, August to December 1920* (London, 1920), 7, 8-9.
47. ibid., 10.
48. ibid., 10-11.
49. ibid.

Pennod 12
1. Gwybodaeth gan y Parch. Ieuan Davies, gweinidog Minny Street, Caerdydd.
2. *Evangelical Magazine of Wales*, April–May 1990.

Mynegai

Llyfrau eraill gan Noel Gibbard
a gyhoeddwyd gan Wasg Bryntirion

Walter Cradock. 40tt. Darlith dan nawdd Llyfrgell Efengylaidd Cymru. Yn ogystal â thrafod pregethu y Piwritan Cymreig hwn ceir enghraifft o bregeth ganddo ar Eseia 66:12.

Elusen i'r Enaid: Arweiniad i Weithiau'r Piwritaniaid Cymreig, 1630–1689. 68tt. Llyfr sydd yn ganllaw i'n cyfeirio at weithiau pobl fel Oliver Thomas, William Erbery, Walter Cradoc, Morgan Llwyd, John Miles a Vavasor Powell.

Taught to Serve: The History of Barry and Bryntirion Colleges. 256tt. Hanes parhad gwaith Duw o gychwyn Ysgol Efengylu'r Barri (1936–50), a ddaeth i'w adnabod yn ddiweddarach fel Coleg Beiblaidd De Cymru, y Barri (1950–85) hyd at y coleg presennol, Coleg Diwinyddol Efengylaidd Cymru, Bryntirion, Pen-y-bont ar Ogwr.

Griffith John: Apostle to Central China. 256tt. Hanes rhyfeddol un o'n cenhadon mwyaf, 'Spurgeon China', a fu'n gwasanaethu yno o 1855 hyd 1912. Byr o gorff ond cawr o ddyn, bu enw'r Annibynnwr hwn o Abertawe yn gyfarwydd unwaith drwy Brydain a rhannau helaeth o'r byd.

Ysgrifau Diwinyddol I (122tt.) ac **Ysgrifau Diwinyddol II** (152tt.). Dwy gyfrol a olygwyd gan Noel Gibbard yn cynnwys ysgrifau ganddo ef ei hun, Dafydd Densil Morgan, Gwyn Williams, Bobi Jones, E. Wyn James, R. Tudur Jones, R. Geraint Gruffydd, ac eraill.